QUE SA

La déontologie des médias

CLAUDE-JEAN BERTRAND

Professeur à l'Institut français de presse
Université de Paris 2

DU MÊME AUTEUR

The British Press : An Historical Survey (Préface de Lord Francis-Williams), Paris, OCDL, 1969.

Le méthodisme, Paris, Armand Colin, 1971.

L'anglais de base, Paris, Hachette, 1972 ; 15ᵉ éd. rév., 1995. Traduction espagnole.

Versions : Écrivains anglais et américains du XXᵉ siècle, Paris, Masson, 1972 ; 3ᵉ éd., Nancy, PUN, 1987.

Les médias aux États-Unis, Paris, PUF, « Que sais-je ? », n° 1593, 1974 ; 4ᵉ éd., 1995. Trad. japonaise et espagnole.

Les Églises aux États-Unis, Paris, PUF, « Que sais-je ? », n° 1616, 1975.

La civilisation américaine, Paris, PUF, 1979 ; 4ᵉ éd. rév., 1993 (avec A. Kaspi et J. Heffer).

Les États-Unis : Histoire et civilisation, Presses Universitaires de Nancy, 1983 ; 3ᵉ éd., 1989.

La televisión por cable en America y en Europa, Madrid, Fundesco, 1986 (avec E. Lopez-Escobar).

Les années 60, Presses Universitaires de Nancy, 1989.

Les médias américains en France, Paris, Belin, 1989 (avec F. Bordat).

Les États-Unis et leur télévision, Paris, INA/Champ Vallon, 1989. Traduction espagnole.

Les médias français aux États-Unis, Presses Universitaires de Nancy, 1993 (avec F. Bordat).

Médias : introduction à la presse, la radio et la télévision, Paris, Ellipses, 1995 [direction et collaboration].

ISBN 2 13 048494 8

Dépôt légal — 1ʳᵉ édition : 1997, août

© Presses Universitaires de France, 1997
108, boulevard Saint-Germain, 75006 Paris

INTRODUCTION

Il y a près d'un siècle s'est produit le scandale des milliards de francs prêtés par les Français à l'État tsariste. A l'époque, « toute résistance à de nouveaux emprunts [était] combattue par la presse qui, d'accord avec les banques, s'[était] habituée à un fructueux chantage »[1]. Beaucoup plus près de nous, en 1990, au sein d'un conglomérat propriétaire d'une chaîne de télévision, après que la directrice de l'information a mis à l'antenne des témoignages d'opposants au gouvernement dans un pays où le conglomérat réalise de grands travaux, on a entendu le PDG dire : « Elle doit prendre conscience des intérêts d'un grand groupe industriel comme le nôtre. Si ce n'est pas le cas, la porte est grande ouverte : qu'elle aille voir ailleurs. » Un tel incident échappe au grand public. Ce qui ne lui échappe pas, c'est que le présentateur d'un grand journal télévisé, impliqué en 1991 dans une affaire de trucage dans la présentation d'une interview, impliqué en 1993 dans une affaire de cadeaux illicites, continuait d'officier trois ans plus tard.

Rien d'étonnant si les sondages indiquent une méfiance du public envers les médias[2] et une inclination à restreindre leur liberté. Aux États-Unis, les trois quarts des usagers ont une confiance limitée dans les médias ; un tiers seulement des Français croient à l'indépendance des journalistes. Et, par ailleurs, les divers publics expriment leur fort mécontentement vis-à-vis du divertissement que fournissent les médias.

---

1. M. Baumont, *L'essor industriel et l'impérialisme colonial,* Paris, PUF, 1937.
2. Comme le montre l'enquête annuelle publiée par *La Croix/Télérama* depuis 1987.

Paradoxe : on accuse les médias de tous les maux alors qu'ils n'ont jamais été meilleurs qu'aujourd'hui. Pour s'en convaincre, il suffit de feuilleter des journaux du siècle passé, de visionner quelques émissions télévisées des années 50 – ou de lire les vitupérations des critiques d'autrefois. Meilleurs donc aujourd'hui, mais médiocres. Or, si autrefois la plupart des gens pouvaient se passer de médias, aujourd'hui, même dans les nations rurales, on ressent le besoin, non seulement de médias, mais de médias de qualité. Et leur amélioration n'est pas simplement un changement souhaitable : le sort de l'humanité en dépend. Seule, en effet, la démocratie peut assurer la survie de la civilisation ; et il ne peut y avoir de démocratie sans citoyens bien informés ; et il ne peut y avoir de tels citoyens sans médias de qualité.

Une pareille affirmation est-elle outrancière ? La réponse vient de l'ex-URSS où, entre 1917 et les années 80, des centaines de milliers d'anciens livres et œuvres d'art ont été détruits, d'immenses espaces ont été irrémédiablement pollués, des dizaines de millions de personnes ont été tuées – faute que les médias soviétiques aient voulu et pu révéler et protester.

Les médias n'assurant pas leurs fonctions suffisamment bien, un problème crucial dans toute société tient dans une question : comment les améliorer ?

Les médias. — On dit qu'ils constituent tout à la fois une industrie, un service public et une institution politique. En fait, tous ne participent pas de cette triple nature : d'abord, la nouvelle technologie permet à un artisanat de renaître. Par ailleurs, une partie de la production des médias ne relève aucunement du service public (la presse à scandales par exemple). Enfin, de nombreux médias (comme les milliers de revues professionnelles) ne jouent aucun rôle dans la vie politique. Ce nonobstant, les organes dont se soucient les citoyens éclairés sont les médias d'information générale qui, eux, ne sauraient se défaire d'aucun des trois caractères.

Conflit de libertés. — En conséquence, on se trouve devant un conflit fondamental entre liberté d'entreprise et liberté d'expression. Pour les entrepreneurs de médias (et les annonceurs), l'information et le divertissement sont un matériau avec lequel ils exploitent une ressource naturelle, le consommateur ; et ils s'efforcent de maintenir un ordre établi qui leur est profitable. Par contre, pour les citoyens, information et divertissement sont une arme dans leur lutte pour le bonheur, qu'ils ne sauraient atteindre sans changements à l'ordre établi.

A cet antagonisme, il n'existe pas de solution simple. Deux ont été pratiquées pendant des décennies dans plus de la moitié des nations du globe. Elles consistent à éliminer l'un des deux antagonistes : les dictatures de type fasciste suppriment la liberté d'expression sans toucher d'ordinaire à la propriété des médias. Les régimes communistes suppriment la liberté d'entreprise, tout en prétendant maintenir la liberté d'expression. Le résultat est le même dans les deux cas : la presse mutilée devient un instrument d'abêtissement et d'endoctrinement.

Une option serait d'accorder à l'industrie des médias une liberté (politique) totale. De fait, la levée du monopole d'État et du contrôle gouvernemental sur la radio-télévision en Europe, dans les années 70 et 80, a beaucoup fait pour la démocratie et pour le développement des médias. Mais leur commercialisation croissante au XXe siècle et la concentration de la propriété s'accordent mal avec le pluralisme. La « conglomératisation » s'accorde mal avec l'indépendance nécessaire des médias. Si la liberté était totale, on pourrait s'attendre à la prostitution des médias, tant dans le secteur de l'information que dans celui du divertissement. On en a une petite idée aux États-Unis où quasiment tous les médias sont commerciaux et où la réglementation est minimale[1]. Selon Eugene Roberts, célèbre directeur de quotidien, « les journaux, sauf exceptions, se concentrent sur l'augmentation de leurs bénéfices afin de plaire aux actionnaires »[2]. Avec pour résultat que, dans ce pays, un groupe de presse peut

1. Voir Ben Bagdikian, *The Media Monopoly,* Boston, Beacon, 1983, 4e éd., 1993.
2. Cité dans *Editor & Publisher,* 24 février 1996.

faire près de 25 % de bénéfices (Gannett) – tandis qu'une station de télévision peut monter à 50 %.

Le but des médias ne peut être uniquement de gagner de l'argent. Ni d'être libres : la liberté est une condition nécessaire mais pas suffisante. Le but à atteindre, c'est d'avoir des médias qui servent bien tous les citoyens. Partout dans l'Occident industrialisé, des médias privés ont joui de la liberté politique depuis très longtemps et bien souvent ils ont fourni des services déplorables[1].

Alors faut-il, au contraire, mettre tous les médias sous contrôle de l'État ? L'expérience faite au XXᵉ siècle du communisme[2] et du fascisme n'a rien fait pour dissiper une méfiance séculaire envers l'État. On craint à juste titre qu'il se produise une manipulation absolue des informations et du divertissement.

Il est évident qu'une liberté totale des médias serait intolérable : quiconque a-t-il le droit de lancer des appels au meurtre ou à la haine raciale ? Et il va de soi maintenant que les médias ne sauraient être placés entre les mains de l'État. Dans toutes les démocraties du monde, on est d'accord : les médias doivent être libres et ne peuvent pas l'être totalement. Le problème de l'équilibre entre liberté et contrôle n'est pas récent : John Adams, Président des États-Unis de 1797 à 1801, écrivait à un ami en 1815 :

« S'il doit y avoir jamais une amélioration du sort de l'humanité, les philosophes, les théologiens, les législateurs, les politiciens et les moralistes découvriront que la réglementation de la presse est le problème le plus difficile, le plus dangereux et le plus important qu'ils auront à résoudre. »

Dans les pays anglo-saxons, on fait trop confiance au marché pour garantir un bon service des médias, mais dans les pays latins, on fait trop confiance au droit. Les deux sont indispensables mais dangereux. Sans les rejeter l'un et l'autre, il est nécessaire de trouver un moyen complémentaire. Et cet instrument, ce pourrait être la déontologie.

1. Constitutionnellement, la BBC britannique est moins libre que l'américaine ABC, mais elle a toujours beaucoup mieux servi ses usagers.
2. Voir G. Vatchnadze, *Les médias sous Gorbatchev,* La Garenne-Colombes, Espace européen, 1991.

La déontologie. — En ce qui concerne les médias, c'est un ensemble de principes et de règles, établis par la profession, de préférence en collaboration avec les usagers, afin de mieux répondre aux besoins des divers groupes dans la population. Le journalisme a ceci d'exceptionnel, parmi les institutions démocratiques, que son pouvoir ne repose pas sur un contrat social, une délégation par le peuple – par élection ou par nomination sur diplôme ou par vote d'une loi imposant des normes. Pour garder leur prestige et leur indépendance, les médias ont besoin de se pénétrer de leur responsabilité première : bien servir la population.

Leur déontologie ne relève pas du droit, ni même, à la limite, de la moralité si on prend ce terme au sens étroit. Il ne s'agit pas tant d'être honnête et courtois – mais d'assurer une fonction sociale majeure. Il n'est pas facile de définir un service de qualité, sauf négativement. Un bon service exclut, par exemple, de réduire un quotidien régional à une suite de pages locales emplies de faits divers – ou de ne consacrer aucune émission de grande chaîne télévisée à l'éducation des enfants, comme c'est le cas aux États-Unis.

Évidemment, la déontologie ne se pratique qu'en démocratie. Qui ne croit pas à la capacité des humains de penser indépendamment, de gérer leur vie, exclut d'emblée l'autocontrôle. Elle n'est envisageable sérieusement que là où existent la liberté d'expression, une certaine prospérité des médias et des journalistes compétents, fiers d'exercer leur profession. Sans prospérité pas de consommateurs, donc pas de publicité, donc des médias pauvres, corrompus ou soutenus et contrôlés par l'État. C'est dire que dans bien des pays, même officiellement démocratiques, la déontologie n'a pas grande pertinence.

Pourquoi maintenant ?

Il fut un temps où, quand on évoquait la déontologie, les professionnels des médias réagissaient par un silence dédaigneux ou une réplique rageuse. Aujourd'hui ils sont de plus en plus nombreux à s'y intéresser. Ils le manifestent par des livres, des éditoriaux et des articles de quotidiens, des numéros spéciaux de revues professionnelles, des émissions de radiotélévision, des colloques et des ateliers, des commissions d'étude et des sondages. Pourquoi?

Quand on pose la question à des journalistes européens[1], leurs réponses varient : un effet des progrès technologiques ; la concentration de la propriété ; la croissante commercialisation des médias ; le mélange d'information et de publicité ; une aggravation de l'inexactitude de l'information ; le faux «charnier» de Timisoara et la guerre du Golfe ; de graves atteintes à la morale professionnelle par certains journalistes (violations de la vie privée, en particulier par la presse populaire) ; une baisse de la crédibilité et du prestige de la profession ; le rôle abusif des médias dans une crise politique ; des liens inacceptables entre médias et gouvernement ; la menace de restrictions légales à la liberté de presse ; le réveil des organisations de journalistes ; une réaction au laissez-faire des années 80 ; la violence et les *reality-shows* à la télévision.

Facteurs d'évolution. — Les principaux paraissent être au nombre d'une demi-douzaine. D'abord, l'élévation du niveau intellectuel du public le rend plus exigeant et plus militant. Davantage de gens comprennent l'importance de bons services médiatiques ; l'inadaptation au monde moderne de la conception traditionnelle de l'information. Et ils prennent conscience qu'eux, les usagers, peuvent et doivent faire quelque chose.

Les journalistes possèdent un meilleur niveau d'éducation. Ils sont plus nombreux à désirer remplir leurs fonctions convenablement et à souhaiter un plus grand prestige social. Dans cette quête, le plus grand nombre supporte mal de pâtir des fautes d'une minorité.

La médiocrité des médias fait du tort à ceux-là mêmes qui en sont responsables. Presque partout, les propriétaires voient baisser la diffusion des journaux et le temps passé à regarder les chaînes principales. Les annonceurs également tiennent à la crédibilité du média où ils placent leur réclame. En outre, on constate, depuis quelques

1. Résultats d'un sondage personnel fait dans 17 pays d'Europe en 1993-1994.

années, chez les hommes d'affaires en général, un souci des effets causés par les produits qu'ils mettent sur le marché, et aussi la conscience que la qualité paye.

La technologie, tant par ses bons que par ses mauvais effets, a été un promoteur de la déontologie. Elle démocratise les médias, mais, dans le même temps, elle provoque la distorsion : le reporter sur le terrain s'adresse en direct au téléspectateur, sans délai de réflexion. Enfin la technologie rend plus facile de manipuler l'information, de truquer les images notamment.

Leur commercialisation croissante rend les médias plus sensibles à l'opinion publique – mais elle multiplie les raisons de déformer l'information ou de vulgariser le divertissement – et de mélanger les deux. On constate d'ailleurs la multiplication des professionnels de la persuasion : publicitaires / attachés de presse / « consultants médias » / experts électoraux.

Enfin, l'écroulement de l'URSS a participé au changement. En mettant fin au mythe de la solution étatique aux problèmes des médias, elle a redonné vigueur à la déontologie, seule stratégie acceptable contre l'exploitation des médias par les puissances économiques. De surcroît, la déontologie souffrait d'être parfois associée à la propagande communiste, emplie de nobles dénonciations (du racisme, de l'impérialisme) et de belles déclarations (sur la paix, le développement) – qui étaient reprises par les gouvernements des pays « non alignés » et, dans les nations démocratiques, par divers marxistes universitaires.

Aujourd'hui, elle souffre surtout d'être mal connue et mal comprise, dans le public évidemment mais aussi, plus curieusement, dans les milieux médiatiques.

*
* *

Répartition des masses. — Dans le présent livre, après quelques grandes distinctions, nécessaires pour clarifier le débat, les principes sont exposés sur lesquels repose la déontologie. Suit une présentation systématique des clauses contenues dans les codes existants. Après cet inventaire des règles, un chapitre est consacré aux regrettables lacunes desdits codes. Ensuite, vient la présentation des moyens disponibles pour faire respecter la déontologie sans avoir recours à l'État. Et pour finir, sont évoqués les obstacles à la mise en place de ces moyens, ainsi que les critiques qui leur sont faites.

*
* *

Avertissements. — D'une part, il est certain que dix à quinze pages d'exemples commentés, contemporains et concrets, auraient amélioré la compréhension des problèmes déontologiques de même que dix à quinze pages de codes en vigueur dans le monde aujourd'hui – mais elles n'étaient pas disponibles. D'autre part, on remarquera la profusion d'exemples pris aux États-Unis. Une raison en est que là-bas on se soucie beaucoup de déontologie et depuis longtemps. Toutefois, il y a une seconde raison : le souci de ne pas mettre au pilori un organe ou un journaliste français particulier. Le but de l'ouvrage est, en effet, d'informer – et si possible de convaincre, pas de dénoncer. Aucun nom et aucun titre n'est donc cité, sauf en bonne part.

PREMIÈRE PARTIE

DONNÉES DE BASE

Chapitre I

GRANDES DISTINCTIONS

La déontologie est une zone brumeuse. Et les guides sont parfois des philosophes au langage obscur, n'ayant aucune expérience de praticiens. Ou, à l'inverse, ce sont des praticiens qui connaissent mal ce qui a été pensé dans ce domaine. Certains mélangent les concepts, tandis que d'autres emballent des clichés dans le jargon. Il en découle confusion, polémiques stériles et inaction. Il est donc utile au départ d'opérer quelques distinctions.

Les entraves à la liberté de presse. — On n'est responsable que d'actes commis volontairement. Il va de soi que la déontologie ne peut se développer que si les médias sont libres. A leur liberté, il existe cinq obstacles majeurs, très différents. Le plus ancien, technologique, s'estompe aujourd'hui. La seconde entrave est politique : dès la naissance de la presse, son développement a été freiné par le souverain et ses tribunaux ; aujourd'hui encore, même en démocratie, l'État essaie toujours de censurer ou d'orienter l'information. La troisième menace, de plus en plus grave au XXe siècle, est économique : l'utilisation des médias dans le seul but de faire des profits. Quant à la quatrième entrave, elle peut surprendre car on en parle rarement : le conservatisme des professionnels, leurs notions et usages surannés (voir p. 64). La dernière entrave, dont on ne parle

11

jamais, émane de la culture environnante : les traditions, comme le statut des femmes en pays musulman, la loyauté envers la tribu en Afrique, le respect des anciens au Japon. Autrement dit, elle provient du public.

I. — **Régimes de presse**

Il y a quatre régimes possibles, deux qui ne sont pas démocratiques et deux qui le sont. Chacun se fonde sur une conception de l'univers et de l'être humain. En simplifiant, les pessimistes jugent que l'homme est une brute et ne lui accordent aucun libre arbitre : il a besoin d'être surveillé, bridé, endoctriné. Les optimistes, eux, considèrent les humains comme des êtres de raison : si on leur donne accès à l'information et qu'ils sont libres d'échanger leurs idées, ils sauront gérer la société où ils vivent.

Régime autoritaire. — En Europe, ce type a été commun jusqu'au milieu du XIXᵉ siècle – et au XXᵉ siècle, l'État fasciste a repris les usages des monarchies absolues. Dans ce régime, d'ordinaire, les médias demeurent des entreprises privées à but lucratif – mais les autorités en censurent strictement les contenus. Information et divertissement peuvent être subversifs. Il faut que les idées véhiculées soient conformes aux intérêts du pouvoir. Pas de presse d'opposition ; pas de débat politique. Certaines catégories de faits divers, signes de dysfonctionnement, sont interdits.

Régime communiste. — Les médias n'y existent pas en dehors d'un État totalitaire où sont absorbées toutes les institutions et les industries : ils fonctionnent comme des rouages dans un vaste mécanisme. Le concept de liberté de presse ne possède donc aucune pertinence. Ce régime, inauguré en Russie au début des années 20, fut étendu à l'Europe de l'Est après 1945, à la Chine après 1949 – puis, dans les années 60, à une grande partie du Tiers Monde.

En régime totalitaire, l'État utilise ses médias pour diffuser ses instructions, pour inciter le peuple à les suivre, et enfin pour inculquer l'idéologie officielle[1]. La fonction première des médias est de mentir, de cacher tout ce qui ne sert pas les intérêts de la caste au pouvoir. A la fin du XXᵉ siècle, ce régime est en voie de disparition : il s'est révélé contraire au développement économique, au bien-être social, à l'expansion des connaissances, à la paix dans le monde – et, bien sûr, à la démocratie politique.

Dans le Tiers Monde, on prétendait naguère que les médias avaient un rôle particulier : servir le développement, éduquer le peuple, souder en une nation des groupes hétérogènes ; et préserver la culture locale. En fait, dans des dictatures militaires prétendument socialistes, les médias, peu développés, ont été utilisés pour maintenir en place un despote et pour servir une élite urbaine.

Régime libéral. — Le régime libéral de l'information est devenu la norme internationale grâce à l'article 19 de la Déclaration internationale des droits de l'homme de l'ONU (1948). Selon cette doctrine, née au XVIIIᵉ siècle, siècle des Lumières, il faut que tous les faits soient rapportés et que toutes les opinions soient placées sur le «marché des idées». Alors l'être humain est capable de discerner la vérité et il est enclin à s'en inspirer dans son comportement. Si l'État laisse faire, tout ira pour le mieux.

Cette illusion n'a pas résisté à la commercialisation croissante de la presse dès le tournant du XXᵉ siècle : devenait bon ce qui était profitable. En outre, toutes les entreprises tendent naturellement à la concentration. Ainsi, le pouvoir d'informer, de fixer les thèmes du débat national, risquait de tomber dans les mains de quelques propriétaires, qui n'étaient pas élus, ni forcément experts ou soucieux de servir le public.

Régime de «responsabilité sociale». — Ce concept, né d'une perception plus réaliste de la nature humaine et de l'économie, prolonge le précédent. L'expression fut lancée aux États-Unis par une «Commission sur la liberté de la

---

1. Article 1ᵉʳ du Code de la presse chinois : les journalistes doivent « être loyaux à leur pays et au communisme et doivent fidèlement propager et mettre en œuvre les principes et les politiques du Parti ».

presse »[1], qui rassemblait des personnalités extérieures au milieu de la presse. Les médias accueillirent son rapport (1947) avec indifférence ou fureur. Dans les vingt années suivantes, ses idées ont été assez généralement adoptées.

Selon cette doctrine, il est préférable que les médias ne soient pas la propriété de l'État, ni même sous son contrôle. En revanche, les médias ne sont pas des entreprises commerciales ordinaires dont le succès puisse se mesurer aux profits. Qu'elles recherchent la rentabilité est normal, mais il leur faut être responsables envers les divers groupes sociaux : répondre à leurs besoins et désirs.

Au cas où les citoyens sont mécontents du service qui leur est fourni, les médias doivent réagir. Il est préférable qu'ils s'amendent eux-mêmes. Si ce n'était pas le cas, il serait nécessaire et légitime que le Parlement intervienne. C'est d'ailleurs souvent pour éviter une telle intervention que les médias se soucient de déontologie.

Il faut noter qu'on ne rencontre pas ces quatre régimes de presse à l'état pur. En régime autoritaire, les citoyens ont toujours eu accès à des médias clandestins. Et dans les démocraties libérales, on a toujours jugé qu'il était dans l'intérêt général de réglementer l'activité des médias, même aux États-Unis.

II. — Fonctions des médias

Pour juger si les médias servent bien le public, il faut savoir quels services les médias sont censés fournir. Ils se répartissent en six rubriques. A chaque fonction correspondent des dysfonctionnements, cibles de la déontologie.

1. **Observer le milieu environnant.** — Dans la société actuelle, les médias sont seuls capables de nous fournir un rapport rapide et complet sur les événements qui se produisent alentour. Leur rôle est d'obtenir l'information, de la trier, de l'interpréter – puis de la faire circuler. En par-

---

1. Sous la présidence de R. M. Hutchins, recteur de l'Université de Chicago – d'où le nom de Commission Hutchins.

ticulier, ils doivent surveiller les trois pouvoirs (exécutif, législatif et judiciaire).

2. Assurer la communication sociale. — Dans un monde démocratique, il est indispensable que par des discussions s'élaborent des compromis, un consensus minimal sans lesquels il ne peut y avoir de coexistence pacifique. A notre époque, le forum où se déroulent les débats est offert par les médias.

Ils relient les individus au groupe, réunissent les groupes en une nation, contribuent à la coopération internationale. Par ailleurs, de petits médias assurent la communication latérale entre gens qui partagent une origine ethnique, une profession ou une passion, et qui dans la société de masse sont souvent éparpillés.

3. Fournir une image du monde. — Personne ne possède une connaissance directe de l'ensemble du globe. Au-delà de son expérience personnelle, ce qu'on sait provient de l'école, de conversations – mais surtout des médias. Pour l'homme ordinaire, la plupart des régions, des gens, des sujets dont les médias ne parlent pas, n'existent pas.

4. Transmettre la culture. — D'une génération à la suivante, il faut que l'héritage du groupe soit transmis : une vision du passé, du présent et de l'avenir du monde, un amalgame de traditions et de valeurs qui donnent à l'individu une identité ethnique. Il a besoin qu'on lui inculque ce qui se fait et ce qui ne se fait pas, ce qui se pense et ne se pense pas. Dans cette socialisation, les institutions religieuses ne jouent plus en Occident un rôle aussi important que jadis, ni la famille. Restent l'école, puis les médias qui eux touchent l'individu tout au long de sa vie.

5. Contribuer au bonheur : divertir. — Dans la société de masse, le divertissement est plus indispensable qu'autrefois pour réduire les tensions qui risquent de mener à la maladie ou à la folie. Il est fourni surtout par les médias. Aux médias, l'usager demande surtout un divertissement – et cette fonction se combine très efficacement avec toutes les autres.

6. Faire acheter. — Les médias sont les principaux vecteurs de la publicité. Leur but premier, bien souvent, est de séduire un public afin de le vendre aux annonceurs. Ils s'efforcent de créer un contexte favorable à la publicité. Pour certains observateurs, la publicité joue un rôle bénéfique : elle informe et, en stimulant la consommation et la concurrence, elle permet des prix bas (pour les médias en particulier). D'autres, au contraire, l'accusent de manipulation, d'incitation au gaspillage et à la pollution.

III. — Types de médias

Un média, c'est une entreprise industrielle qui, par des moyens techniques spécifiques, diffuse, simultanément ou presque, un même message à un ensemble d'individus épars. Cette définition écarte le téléphone, les sondages d'opinion et le suffrage universel. Le courrier et l'affichage peuvent être exclus du fait que leurs messages sont presque uniquement commerciaux. Les phonogrammes sont avant tout le matériau qu'utilise la radio. Quant au cinéma, il est devenu plus tant un média qu'un fournisseur du petit écran par le biais de la télévision par câble, des satellites et des magnétoscopes. Dans l'usage courant, les médias, ce sont les journaux et les magazines, la radio et la télévision. Ces médias, entre autres fonctions, procurent rapidement une information sur l'actualité[1].

Cela posé, il demeure que les médias sont si différents qu'il faut envisager une déontologie à géométrie variable. La distinction est évidente entre presse écrite et médias audiovisuels ; entre médias « publics » (sous contrôle de l'État), médias commerciaux (sous contrôle de l'argent) et médias privés non commerciaux.

Cependant, la distinction fondamentale est entre la presse d'information générale, aujourd'hui relativement neutre, à laquelle se réfèrent la plupart des codes – et, par ailleurs, la presse d'opinion (religieuse, ethnique, partisane) qui, pour des raisons idéologiques ou politiques,

1. En 1997, Internet n'était pas encore un média, mais on peut considérer qu'il n'y aura pas solution de continuité : les mêmes principes et méthodes s'appliqueront.

peut déformer la réalité[1], taire les idées adverses, se montrer injuste, insultante même – sans pour autant être autorisée à mentir ou, par exemple, inciter à la haine raciale ou à la violence. C'est pour cette presse d'opinion avant tout qu'existent les garanties de liberté de presse, parce qu'elle répugne à une partie de la population, et souvent aux pouvoirs en place.

D'autre part, existe la presse spécialisée : son matériau vient en grande partie de pigistes, dont il n'est pas facile de vérifier la probité, et ses revenus proviennent d'annonceurs spécialisés. Et enfin la presse d'annonces qui est pure publicité, et la presse d'entreprise et de collectivités locales, qui relève des « relations publiques ».

IV. — **Information et divertissement**

Les médias de divertissement se situent à part. Pour quelques organes de pure distraction (périodiques de mots croisés, par exemple), la déontologie n'a pas lieu d'être. Envers la plupart de ces médias cependant, les reproches du public sont innombrables – et pourtant on parle peu de déontologie hors du journalisme. Du fait que le divertissement médiatique relève d'une énorme industrie[2] et qu'il ne semble pas jouer de rôle politique, on a eu tendance à ne pas s'occuper de son éthique. On se contente en général de quelques lois, règlements (limitant la pornographie, par exemple) et cahiers des charges. Néanmoins, au milieu des années 90, le public (suivi des hommes politiques) a réagi contre la violence hystérique du grand et du petit écran et contre le sensationnalisme trivial à la radio.

La frontière entre journalisme et divertissement n'a jamais été nette et l'est de moins en moins : la presse populaire a toujours privilégié le divertissement et les médias commerciaux en imprègnent maintenant tous

---

1. Le code du Kansas (1910) considérait que toute publication partisane n'était pas un journal *(newspaper)*.
2. Jusqu'à 1952 le cinéma aux États-Unis n'était pas protégé par le Ier Amendement de la Constitution, garant de la liberté d'expression, sous prétexte qu'il s'agissait d'un simple divertissement commercial.

leurs produits. Le chevauchement est presque inévitable : une nouvelle peut être intéressante et sans importance ; en contrepartie, on apprend beaucoup en se divertissant. Les deux types de médias fournissent information et formation – et il est indispensable que tous deux servent bien le public. Mais il faut distinguer entre leurs domaines. Les buts recherchés diffèrent : une information exacte et utile d'un côté et, de l'autre, une distraction qui ne soit nocive ni pour l'individu, ni pour la société. Les règles de comportement ne peuvent pas être les mêmes.

V. — **Les participants**

Patrons et employés. — Il ne faut pas confondre, comme on le fait souvent, surtout aux États-Unis, les médias et les gens qui travaillent pour eux. Leurs responsabilités sont différentes. Les journalistes sont capables de commettre seuls bien des fautes professionnelles. Il n'en demeure pas moins que la politique rédactionnelle d'un média, son attitude vis-à-vis de la déontologie sont décidées par les propriétaires[1] et leurs représentants.

On attend des patrons qu'ils possèdent des talents d'hommes d'affaires[2], et non une conscience morale. Et qu'ils respectent lois et règlements, faute de quoi ils doivent en répondre devant les tribunaux. D'ailleurs, aujourd'hui bon nombre de patrons ne sont que des employés, responsables devant les actionnaires, qui eux ne s'intéressent qu'au bilan. Mais comme les patrons ont le pouvoir, toute personne soucieuse de déontologie a intérêt à ne pas susciter leur antagonisme.

Quant aux journalistes, autrefois ils n'étaient, sauf quelques grandes plumes, que des employés aux écritures, dociles. De nos jours, leur métier tend à se rapprocher d'une profession libérale. Ils disposent d'un enseignement

---

1. Même s'il arrive dans les petits médias qu'une même personne cumule les fonctions de propriétaire et de journaliste.
2. Cela dit, il est des propriétaires qui subventionnent un organe pour le prestige ou l'influence, comme Lord Thomson l'a fait pour le *Times* de Londres dans les années 60.

universitaire spécialisé, d'associations corporatives, de codes de déontologie. En tant que « professionnels », leur souci premier consiste à bien servir leurs clients.

Une catégorie de journalistes forment une classe à part, très importante : les cadres supérieurs de la rédaction, nommés par la direction, qui ont reçu le droit de fixer la ligne éditoriale, et le pouvoir d'embaucher et de débaucher. Le rôle de ces professionnels est crucial en matière de déontologie car ils peuvent user de sanctions pour imposer les règles. On peut regretter qu'ils les appliquent discrètement : on lave le linge sale en famille.

Piétaille et vedettes. — L'usager ne fait pas toujours cette distinction. Les journalistes ordinaires sont nombreux, médiocrement payés, soumis à des pressions multiples, parfois méprisés par leurs sources, accusés de tous les maux des médias. Dans la pénombre, ils travaillent dur pour informer aussi bien que possible. Surmenés, mal assistés, ils trébuchent parfois ou dérapent – de petites fautes qui peu à peu font volume.

Quant aux stars du journalisme, télévisuelles forcément, elles sont peu nombreuses, très bien rémunérées[1], célèbres. Inévitablement, elles font office de modèles, tant aux yeux des autres professionnels, des jeunes notamment, que du public. Or, elles sont bien plus exposées à violer la déontologie : les tentations abondent – et la célébrité peut monter à la tête. Leurs fautes, quelquefois graves et spectaculaires, font un tort immense à toute la profession.

Les annonceurs. — Ils sont les principaux clients de la plupart des médias et en assurent la prospérité. Ils se soucient de la qualité des contenus dans la mesure où celle-ci crée une atmosphère de confiance favorable à la publicité et où elle permet à certains de toucher le public qui les intéresse. En revanche, ils font pression sur les médias, de diverses manières (relations publiques, cadeaux), pour

1. Grâce aux cumuls ; plus, aux États-Unis, les tournées de conférences (au mieux : $ 60 000 l'une) ; plus, en France, les « ménages », cadeaux et contrats de publicité.

que ceux-ci gomment la frontière entre réclame et information. On les accuse parfois d'être les pires adversaires de la «responsabilité sociale».

Les usagers. — La communication sociale est une affaire trop sérieuse pour être laissée aux seuls professionnels. D'ailleurs, la liberté de parole et de presse n'est pas leur prérogative : elle appartient au public. Or, les sondages l'indiquent clairement : le public a le sentiment d'être trompé, exploité par les médias. Cette animosité est parfois justifiée mais ne l'est pas toujours. Trop de gens ignorent les exigences matérielles de la presse et formulent des griefs injustes. De plus, «nouvelles» signifie souvent informations anormales, dans bien des cas désagréables, et le public n'échappe pas à l'antique tentation d'occire le porteur de messages malheureux.

Apathiques ou inorganisés, ignorants ou intolérants, les usagers constituent parfois un obstacle à la liberté de presse, et semblent souvent peu disposés à lutter pour la défendre. A-t-on vu en France un boycottage de la redevance au temps du contrôle direct de la télévision par le ministre de l'Information ? Des pétitions contre la vente d'une chaîne de télévision à un magnat des travaux publics ? A-t-on vu en Australie des défilés contre la concentration de 60 % des quotidiens entre les mains d'un conglomérat multinational ? A-t-on vu où que ce soit des manifestations contre l'image de la femme véhiculée par la publicité ?

Qu'il soit indifférent ou hostile, pour de bonnes ou de mauvaises raisons, l'attitude du public est politiquement grave. Pour la survie de la démocratie, il était indispensable qu'un remède fût trouvé. Il semble qu'il en existe un, lentement élaboré au long du XXe siècle : rendre la presse «socialement responsable».

VI. — **Marché, droit et déontologie**

Le marché. — L'expérience soviétique l'a prouvé : la liberté d'entreprise est nécessaire à la liberté d'informer et de débattre. On le voyait en France quand la télévision dépendait entièrement de l'État. C'est l'absence de véritable concurrence qui entraîne la médiocrité des médias. On le voit aux États-Unis où la télévision est presque entièrement livrée au marché. On ne peut admettre qu'une poignée de sociétés s'emparent d'un service public crucial pour l'exploiter dans un but seulement lucratif; ni admettre qu'elles prétextent, pour repousser toute réglementation, que la presse-institution doit être totalement libre.

Le «marché» ne peut suffire à garantir une bonne communication sociale. Au mieux, il permet à une majorité de s'exprimer. Au pire, les médias se placent au service de la minorité fortunée, d'une part : et d'autre part ils distribuent à une masse indifférenciée ce qui semble lui déplaire le moins. Il a été parfaitement démontré au temps du capitalisme sauvage, dans la seconde moitié du XIXe siècle, qu'en l'absence de réglementation étatique, le monde des affaires ne se soucie nullement de service public, autrement dit, de déontologie.

Le droit. — Des lois sont donc nécessaires pour que les médias assurent un service convenable à tous les publics. Par «loi», il faut entendre des textes votés par le Parlement, des règlements imposés par des agences étatiques, la jurisprudence des tribunaux et les obligations contractuelles (comme les «cahiers des charges» de sociétés de télévision). Le respect de ces obligations est du ressort de la police, des tribunaux et des commissions de régulation (tel le CSA en France[1]).

La loi intervient d'ordinaire pour empêcher certaines pratiques. Si tout le monde est d'accord sur l'intérêt public d'une mesure, il est naturel d'en faire une loi : contre la diffamation, par exemple, ou l'appel au meurtre. La publicité pour les cigarettes est interdite à la télévision dans de nombreux pays. Mais la loi ne se limite pas aux interdictions : la plupart des nations européennes accordent à leurs citoyens un droit légal de réponse. Beaucoup usent de subventions étatiques afin de contrer la tendance

1. De tels organismes sont indépendants du gouvernement, mais restent étatiques et ne relèvent donc pas de l'autocontrôle.

à la concentration dans certains secteurs médiatiques. Les Européens semblent avoir plus peur des milieux d'affaires que des milieux dirigeants.

La loi n'est pas restrictive par nature. Elle peut aider les médias à faire leur travail. La loi suédoise sur la presse donne aux journalistes une exceptionnelle série de garanties : pas de censure, même en temps de guerre/interdiction d'interroger les journalistes sur leurs sources/accès à (presque) toutes les archives officielles/protection très spéciale en cas de procès. Le pouvoir judiciaire, surtout quand il est indépendant, peut contribuer à inciter les médias à faire leur travail convenablement – et peut interpréter des lois restrictives à leur avantage. La Cour européenne des droits de l'homme a confirmé aux journalistes britanniques leur droit de protéger leurs sources, ce que leur déniaient les tribunaux nationaux.

L'attitude des Étatsuniens semble absurde : ils refusent toute loi sur la presse (et tout moyen de faire respecter la règle déontologique) – mais soufflent rarement un mot des très grandes restrictions commerciales à la liberté – ou des lois favorables à l'ordre établi et au profit.

Droit et déontologie, les deux domaines ne sont pas nettement distincts. On rencontre rarement dans les codes des interdictions qui sont normalement incluses dans la loi (ne pas attenter à la sûreté de l'État), ou le sont souvent (séparer clairement le rédactionnel du publicitaire[1]). Les codes citent des devoirs du journaliste qui peuvent lui être imposés par la loi, soit dans tous les pays, soit dans certains seulement.

Le droit de réponse est légal en France, mais pas en Grande-Bretagne ou aux Pays Bas. Le code allemand recommande de ne pas donner les noms ou photos de délinquants mineurs, ce que la loi interdit en d'autres pays. Aux États-Unis, la chaîne CBS exige que les résultats de sondage soient accompagnés de données que la loi en France oblige de mentionner.

Évidemment, certains actes sont condamnés à la fois par le droit et par la déontologie. Et bien des codes

1. Le code norvégien le recommande. En France, la loi l'impose.

exigent pour le journaliste des droits que lui reconnaissent des législations éclairées : le secret professionnel en Allemagne ; l'accès aux archives aux États-Unis ; le droit de refuser des tâches contraires à ses convictions en France. Lois et règlements fixent un cadre à l'intérieur duquel chaque praticien peut choisir entre divers comportements. La déontologie en trace un autre, plus étroit mais laissant encore un choix – qui est fait par l'individu selon ses valeurs personnelles.

Les médias peuvent causer des torts graves sans enfreindre la loi. Des actes autorisés par la loi peuvent être contraires à la déontologie, comme pour un journaliste d'accepter des mains d'un industriel une invitation à des vacances de luxe. Et par contre, il arrive que la déontologie tolère des actes illégaux, comme d'usurper une identité ou de dérober un document pour prouver un scandale qui nuit gravement à l'intérêt général.

Bref, bien qu'il y ait des chevauchements, les deux domaines sont distincts – et il est important qu'ils le restent. Avoir recours à des lois, en matière de presse, comporte toujours des dangers. A cela, les raisons ne manquent pas : l'efficacité d'une loi dépend de l'environnement sociopolitique[1] ; elle peut être diversement utilisée par le pouvoir du jour ; le laxisme peut alterner avec un littéralisme museleur. Certains domaines (telle la vie privée) sont si mal définis qu'une loi forcément trop vague, ou trop précise, risque de faire plus de tort que de bien. Certaines attitudes sociales (vis-à-vis de la sexualité, par exemple) évoluent si vite que la loi risque de figer une norme bientôt désuète. Enfin, bien des méfaits se situent en deçà du délit : le tribunal peut punir un acte commis par les médias mais ne peut faire grand-chose contre une omission. De toute façon, la machine judiciaire est lente, chère et rébarbative[2].

1. Les sanctions fondées sur la loi française de 1881 se font rares et faibles. La loi a besoin d'être mise à jour et revivifiée, mais les politiques craignent de s'attirer l'hostilité des médias.
2. Il est des cas où ni la loi, ni le marché, ni la déontologie ne peuvent rien. L'ignoble « Radio Mille collines » qui au Rwanda encourageait au génocide des Tutsis ne pouvait être supprimée que par les armes.

Profession libérale ? — La solution viendrait-elle d'un conseil de sages instauré par l'État mais indépendant de lui ? « J'ai toujours regretté qu'il n'existe pas un ordre des journalistes qui veillerait à défendre la liberté de la profession et les devoirs que cette liberté comporte nécessairement », disait Albert Camus[1]. Il vaut mieux en effet que la presse exerce une autodiscipline, dans la mesure du raisonnable. Cet idéal est en harmonie avec le souhait que forment certains praticiens de voir le journalisme classé, comme la médecine et le droit, au rang des professions libérales.

Mais le journalisme n'en est pas une. Pour des raisons diverses. D'abord, il ne se fonde pas sur une science (comportant une théorie globale et un ensemble de connaissances) : dans la quasi-totalité des pays, le journaliste n'est pas *obligé* d'obtenir des titres universitaires justifiant la transmission d'un savoir. Et il n'a pas besoin d'une autorisation pour exercer. Il bénéficie rarement du statut de travailleur indépendant[2]. Par ailleurs, comme il n'y a pas rapport direct entre praticien et client, l'État ne s'est pas préoccupé de protéger le citoyen en imposant des règles à la presse. Ou en créant des tribunaux particuliers : il n'existe pas d'Ordre des journalistes – sauf en quelques pays latins comme l'Italie où il souffre d'avoir été créé sous Mussolini. Quoi qu'il en soit, l'efficacité des ordres de médecins ou d'avocats est peu impressionnante.

Étant donné la fonction politique de surveillance et de contestation que doit exercer une partie des médias, la plupart des professionnels et des observateurs jugent que la déontologie doit être maintenue à l'écart de l'État.

VII. — **Morale, déontologie et contrôle de qualité**

La morale. — La distinction entre ces trois notions (le nom qu'on leur donne peut varier) est nécessaire mais n'est pas souvent faite. On peut réserver le terme

1. *Le Monde,* 17 décembre 1957.
2. Il est à noter que, dans les hôpitaux, bien des médecins aussi sont des salariés, comme les juristes employés par de grandes firmes.

«morale» pour l'éthique intime de chaque individu, son sens du devoir, fondés sur sa vision personnelle du monde, sur son expérience de la vie. Pour certains, comme J. C. Merrill[1], c'est la seule restriction admissible à la liberté du journaliste.

La déontologie. — Elle s'applique au sein d'une profession. C'est souvent une tradition non écrite qui détermine, par consensus, ce qui «se fait» et «ne se fait pas». Mais dans tous les pays au monde, des organisations corporatives ont jugé utile de rédiger une charte des devoirs des journalistes, quand bien même il est des professionnels qui dénoncent cette tendance.

Le «contrôle de qualité». — Pour certains, «morale» et «déontologie» ont des connotations rebutantes. Ces termes évoquent le sermon ou le cours de philosophie, la BA du boy-scout ou l'«ordre moral» des régimes autoritaires. Et surtout, ils paraissent dénués de pertinence dans un monde où les médias deviennent plus mercantiles sous la pression de la concurrence toujours plus vive.

Le «contrôle de qualité», concept peu utilisé jusqu'à présent dans le cadre médiatique, a d'abord l'avantage d'être large : il englobe morale, déontologie et aussi les initiatives de la direction des médias visant à mieux satisfaire le public. Il a surtout l'avantage d'être neutre, de pouvoir plaire à tous les protagonistes. Pour les usagers, il évoque un service de valeur. Pour les journalistes, il signifie produit meilleur, crédibilité accrue, donc prestige augmenté. Pour les propriétaires, il évoque les succès commerciaux japonais, donc des profits accrus[2]. Enfin, il évoque l'action, pas le bavardage.

---

1. John C. Merrill, *The Imperative of Freedom : A Philosophy of Journalistic Autonomy,* New York, Hastings House, 1974.
2. La déontologie paye : les compagnies qui lui accordent le plus d'importance ont une croissance quatre à cinq fois supérieure à la moyenne des compagnies cotées par le Dow Jones.

Chapitre II

PRINCIPES ET VALEURS

I. — Nature et effets des médias

Les médias font partie du très complexe système social des pays modernes, et de ses nombreux sous-systèmes. L'ensemble opère comme un vaste organisme vivant. Chaque élément dépend des autres. Il peut suffire d'un sous-système déficient pour que la machine ne fonctionne plus correctement. Ceci explique que, même en régime libéral, l'autonomie des médias est limitée. Dans une large mesure, ils sont et font ce que dictent le passé, la culture, l'économie du pays ; ce que veulent les décideurs économiques et politiques de la société environnante ; ce que désirent les consommateurs et citoyens, c'est-à-dire tous les habitants.

En outre, il faut garder à l'esprit la triple nature des médias, surtout quand on s'occupe de déontologie. A la fois industrie, service public et institution politique ils sont d'une grande ambiguïté : de là découlent la plupart des problèmes.

Service public. — Là même où la presse ne jouit pas d'un statut juridique ou de garanties constitutionnelles, la tradition lui reconnaît des privilèges qui la placent au rang des services publics. Ces droits légaux ou coutumiers, les médias les exercent au nom des citoyens. La délégation n'a pas de base contractuelle explicite et, pour la conserver, la presse doit la mériter – en fournissant un service de qualité.

C'est dans l'entre-deux-guerres qu'aux États-Unis on a commencé à réfléchir sérieusement à la déontologie médiatique[1], en même temps qu'on s'intéressait à la professionnalisation et à l'enseignement supérieur du journalisme. En 1947, est sorti le rapport Hutchins. Dans les années 60, on a parlé de plus en plus de la « responsabilité sociale »[2] des médias. C'est le terme qu'on préfère outre-Atlantique : il implique que les journalistes ont des comptes à rendre au peuple. En Europe, on parle plutôt de « service public ». Hélas ! Le terme est associé à l'État car celui-ci a fort longtemps assuré lui-même, ou strictement régulé, les services publics. En fait, les deux expressions décrivent une réalité semblable, que d'autres appellent la déontologie et d'autres encore le « contrôle de qualité ».

Institution politique. — Indéniablement, le fait que, au contraire des trois autres pouvoirs, le quatrième soit détenu par des personnes ni élues, ni nommées pour leur compétence, semble violer le principe de la démocratie. Pour Stanley Baldwin, Premier ministre conservateur parlant de la presse populaire britannique (conservatrice) dans les années 20 : « Ce que recherchent les propriétaires de ces journaux, c'est le pouvoir, mais un pouvoir dissocié de toute responsabilité, le privilège de la putain à travers les âges. » Les médias peuvent résoudre ce problème en se donnant les moyens de rendre des comptes.

Ainsi auront-ils une meilleure chance de conserver leur liberté. Celle-ci est toujours menacée car elle-même représente une menace pour les autorités. A droite comme à gauche, dans tous les pays, tous ceux qui ont un pouvoir s'efforcent de la restreindre . Ces deux grands champions du libéralisme qu'étaient Margaret Thatcher et Ronald Reagan (surnommé « le grand communicateur ») ont plus attenté à la liberté de presse qu'aucun de leurs prédéces-

1. Voir *The Ethics of Journalism* de Nelson A. Crawford (1924) et *The Conscience of the Newspaper* de Leon N. Flint (1925).
2. Voir notamment J. Edward Gerald, *The Social Responsibility of the Press*, Minneapolis, University of Minnesota Press, 1963.

seurs. «La liberté sera le mieux préservée dès lors que le personnel de la presse et de tous les autres médias d'information s'efforcera constamment et volontairement de maintenir un haut sens de ses responsabilités»[1] : la déontologie constitue en effet la meilleure protection.

Industrie. — Quand est apparue la communication de masse, elle a rendu possible, pour la première fois dans l'histoire, une participation de chaque citoyen à tous les niveaux de la gestion du pays. Mais elle exigeait pour les organes de presse une structure industrielle, et donc, dans les pays occidentaux du début du XXᵉ siècle, une organisation capitaliste. Aujourd'hui, les médias se trouvent, pour une large part, aux mains de grosses sociétés, dont le but premier n'est pas le service public.

Pour Milton Friedman, célèbre économiste américain : «L'unique responsabilité sociale d'une entreprise est d'augmenter ses bénéfices.» Plus précisément, un propriétaire du *Wall Street Journal* déclarait : «Un journal est une entreprise privée qui ne doit rien aux usagers, qui ne lui accordent aucune autorisation. Il ne relève donc en aucune manière du service public.»

Mais les dépenses de l'industrie des médias ont sans cesse augmenté à mesure que les syndicats obtenaient des salaires plus justes et que les progrès techniques imposaient des investissements plus élevés. Pour réduire leurs charges, les organes de presse ont naturellement tendu à éliminer la concurrence et à se concentrer en groupes.

Certes, les médias peuvent d'autant mieux servir le public qu'ils ont de gros moyens financiers. Mais l'intérêt public peut se trouver en péril. Quand les médias font partie de conglomérats – une vaste puissance politique se trouve placée à la disposition de quelques personnages qui n'ont pas pour préoccupation majeure d'informer le public. Ceux-ci, qui n'ont de responsabilités qu'envers les actionnaires, possèdent le pouvoir de décider ce qui s'est produit dans le monde en décidant qu'il en sera, ou non, rendu compte. Il est toujours mauvais que, dans un pays,

---

1. Extrait de l'ébauche du code international de déontologie préparé par l'ONU.

un secteur quelconque de l'économie tombe sous le contrôle d'un oligopole. Que dire s'il s'agit des médias, système nerveux de la société ?

Les effets des médias[1]. — Les fonctions des médias dans notre monde sont indiscutablement importantes. Et comme on leur attribue souvent des pouvoirs immenses, ils sont accusés – de droite et de gauche, du Nord et du Sud, par les puissants et par les humbles, par les vieux et par les jeunes – de tous les maux de la société moderne.

Un principe peut être posé : les médias ont des effets. Celui qu'ils peuvent avoir sur les enfants est un des sujets le plus étudiés par les sciences sociales. Et le doute n'existe plus : selon leurs contenus, ils causent des effets bons et mauvais. D'une façon générale, il est admis qu'ils peuvent exercer une forte influence, à long terme, si le message est homogène, et surtout s'ils vont dans un sens où les usagers veulent aller.

Trop souvent cependant (surtout en France), on part encore aujourd'hui du principe que les médias sont tout-puissants : tradition élitiste renforcée par la critique marxiste – et aussi, bien sûr, par les propriétaires et journalistes, qui y trouvent des satisfactions multiples[2]. On croit que, si un message est publié, il a sûrement un impact, comme une balle sur une cible – d'où l'importance (indue) prise par les analyses de contenus et la sémiologie.

On oublie une chose : pour qu'un message existe, il faut au moins deux personnes, l'émetteur et le récepteur. Or, il a été abondamment démontré que l'usager n'est pas un réceptacle passif[3] : il interprète le message selon son expérience, son milieu, ses besoins et ses désirs. Il n'est pas une victime des médias mais un utilisateur. En conséquence,

1. Voir le chapitre 12 de *Médias, Introduction à la presse, la radio et la télévision*, Paris, Ellipses, 1995.
2. « On voit Superman là où il n'y a que Clark Kent », écrit Schudson dans *The Power of News*, Cambridge, Harvard UP, 1995.
3. Un exemple : lors du référendum sur l'Europe en 1992, la plupart des médias suisses prônaient le oui – mais plus de 50 % des électeurs ont voté non.

la principale influence des médias se fait par omission : ce qu'ils ne disent pas a plus d'influence que ce qu'ils disent.

Les médias ont, indiscutablement, un effet considérable en fournissant de l'information, en choisissant quels événements et quelles personnes sont importants. Il arrive d'ailleurs que la simple publication déclenche une action des pouvoirs politiques avant même que les usagers ne réagissent. Indéniablement, les médias fixent l'ordre du jour de la société : ils ne peuvent pas dicter aux gens *quoi* penser, mais ils décident *à quoi* ils vont penser. Sur les sujets qui leur importent, les gens se façonnent eux-mêmes une opinion – et d'ailleurs l'opinion de la majorité s'impose souvent aux médias (surtout les commerciaux).

Pour preuve spectaculaire de l'autonomie des citoyens et de leur résistance aux médias, on ne peut trouver mieux que l'URSS et ses satellites. Selon la défunte conception marxiste, les médias n'étaient qu'une superstructure exploitée par une élite économique pour réduire les masses en esclavage. En fait, les médias soviétiques, véritablement asservis, n'ont pas rempli leur office : les citoyens de ces pays ont fait chuter paisiblement ces régimes totalitaires.

Ainsi est renforcée la conviction de ceux qui comptent sur les usagers pour exiger et obtenir que leurs médias respectent la déontologie, contrôlent leur qualité, servent bien.

II. — **Valeurs humaines**

Droits et devoirs sont inséparables. L'être humain est enclin à réclamer des droits sans évoquer les devoirs qui les accompagnent – surtout de nos jours, surtout en Occident. Or, la déontologie justement se soucie de devoirs. Elle pose que liberté et responsabilité vont de pair. Comme toute religion ou philosophie, elle formule des règles qui dessinent des limites à la liberté de chacun et qui fixent des obligations à l'individu. Ces règles découlent d'un ensemble de principes moraux. Ces principes, un humain les adopte parce qu'ils correspondent à la vision qu'il/elle a de ses semblables et de l'univers. Et ils correspondent à ses idées de la société et de ses institutions – qui elles-mêmes s'inspirent de ses connaissances.

Valeurs fondamentales. — S'il est une valeur sur laquelle tous les humains peuvent se mettre d'accord (sauf peut-être quelques fanatiques), c'est la survie de l'espèce[1], le sort de la planète. Quelle que soit leur idéologie, qu'ils aient ou non une foi religieuse, ce souci devrait les animer tous. Ils sont menacés, comme ils ne l'ont jamais été auparavant. L'ennemi, ils l'ont découvert : c'est eux-mêmes. Tous doivent se sentir responsables. Il se trouve, par bonheur, qu'ils partagent généralement certaines valeurs, sur lesquelles se fonde la morale sociale : le respect de la vie humaine, le souci de ne nuire à personne inutilement, la promotion de la justice et des droits de l'homme, l'amélioration du sort d'autrui, la démocratie.

Si l'on peut parler de valeurs universelles, c'est en partie une conséquence de la globalisation commencée au XIXe siècle. Mais, aujourd'hui encore, il est des valeurs que certaines cultures traditionnelles n'acceptent pas, comme l'égalité des femmes, la tolérance envers les êtres différents, la vie privée, la démocratie. En contrepartie, certaines de ces cultures ne tolèrent pas non plus l'égoïsme forcené et la jungle sociale de l'Occident. En outre, chaque culture a ses particularités, indépendamment de son stade de développement économique : ainsi la nudité féminine offusque gravement aussi bien en Arabie Saoudite qu'aux États-Unis, alors qu'en Europe elle fait partie du décor estival (ou publicitaire).

L'héritage judéo-grec. — Dans la plupart des démocraties industrialisées, l'idéologie est originellement d'inspiration judéo-grecque, chrétienne. Résumée en une phrase : l'être humain fait à l'image de Dieu a été souillé par le péché originel. Il est noble et corrompu. Il possède des droits mais il est astreint à des devoirs. Selon que l'accent est sur l'une ou l'autre nature de l'homme, deux traditions existent au sein de la civilisation occidentale, la catholique et la protestante, la latine et l'anglo-américaine, celle du sud et celle du nord de l'Europe. La pre-

---

1. Voir Hans Jonas, *Das Prinzip Verantwortung*, Frankfurt/Main, Insel, 1979.

mière, plus autoritaire, met davantage l'accent sur la solidarité du groupe et la stabilité de la société. La seconde, plus libertaire, met l'accent sur l'individu et l'entreprise. C'est cette dernière qui a présidé à l'émergence de la démocratie et de la civilisation industrielle. Parmi ses valeurs, maintenant répandues sur le globe : l'affirmation de l'égalité des hommes, la foi dans le progrès humain, le respect de la loi, du contrat qui fonde la société.

Pour guider le comportement des individus, de grands préceptes moraux ont été formulés au cours des siècles. Ainsi Aristote recommandait de toujours suivre une *via media* entre deux excès contraires. Pour Kant, chaque être humain possède en lui un sens moral, la détermination de faire ce qui est bien : selon cet « impératif catégorique », un acte moral est un acte qui peut être généralisé. Et pour Stuart Mill, l'utilitariste, on doit toujours rechercher le plus grand bien pour le plus grand nombre.

La démocratie. — De nos jours, une majorité des humains semblent persuadés que le peuple doit imposer sa volonté aux gouvernants et non l'inverse. La démocratie, dont on dit qu'elle serait proprement chrétienne, et même protestante, peut ne pas paraître compatible avec l'islam traditionnel, selon lequel la politique dépend de Dieu, dont la volonté est interprétée par des sages. Pas compatible non plus avec le bouddhisme, le confucianisme, l'hindouisme ou le tribalisme. Allégeance absolue à son groupe ethnique, ou respect des castes pour assurer la stabilité sociale, ou loyauté envers les ancêtres, les vieux, les chefs du clan : de telles valeurs ne paraissent pas s'accorder avec la démocratie. C'est oublier que l'Inde est la plus vaste démocratie du monde et le Japon une des deux plus puissantes[1]. Quand on y regarde de plus près, on découvre, par exemple, que pour Confucius il existe deux valeurs de base : le souci de l'autre et l'équité, que le confucianisme est, certes, fondé sur le respect de l'ordre et de la hiérarchie, mais aussi sur le dévouement à la collectivité, la coopération, la courtoisie.

1. Il est entendu que la conception asiatique de la démocratie n'est pas identique à l'occidentale.

III. — Liberté d'expression

Tous les États du monde ont pour idéal proclamé d'assurer à chacun de leurs citoyens les « droits de l'homme ». Dans la pratique, l'individu ne dispose d'aucun de ces droits s'il ne possède pas l'un d'entre eux : celui de savoir. Tout droit se conquiert, puis se défend sans cesse. Or, dans ce combat, s'il n'est pas informé, l'être humain est désarmé.

La liberté de presse. — La vocation première du professionnel des médias, quelles que soient ses autres fonctions, est d'exercer la liberté de communiquer en vue d'informer les hommes de ses observations du monde alentour. Cette liberté est un de ces droits humains dits absolus parce qu'ils correspondent à des besoins vitaux. Sans communication, il n'y a pas de société, donc pas de survie prolongée de l'individu.

L'instauration d'une dictature, laïque ou théocratique, monarchique ou impériale, militaire ou coloniale, bourgeoise ou prolétarienne, s'accompagne toujours de la suppression de la liberté de parole et de presse. Celle-ci est donc devenue un signe autant qu'un facteur de démocratie. Il n'est pas inutile de le répéter : s'il est vrai qu'il n'y a pas de liberté réelle sans limites, en revanche, il ne peut y avoir de responsabilité sans liberté. Le professionnel a besoin de liberté vis-à-vis de l'État, et aussi vis-à-vis des propriétaires. Il a également besoin d'une liberté « économique » : sans un salaire décent, il échappe difficilement à la corruption.

Liberté positive. — « Tout individu a le droit à la liberté d'opinion et d'expression, ce qui implique le droit de ne pas être inquiété pour ses opinions et celui de chercher, de recevoir et de répandre, sans considération de frontière, les informations et les idées par quelque moyen d'expression que ce soit » : c'est là l'article 19 de la Déclaration internationale des droits de l'homme, votée par l'ONU en 1948.

La technologie de la fin du XIXe siècle et ensuite l'électronique ont provoqué une expansion formidable des médias et celle-ci a requis une révolution conceptuelle.

C.-J. BERTRAND — 2

Pendant des siècles, la «liberté de la presse» a bien été conçue comme un droit de chaque citoyen. Et elle a été réelle tant qu'il a suffi d'une faible somme pour publier un périodique. Puis les coûts augmentant, cette liberté est devenue négative : parmi plusieurs journaux, le citoyen pouvait écarter ceux qui ne répondaient pas à ses besoins ou présentaient du monde une vision différente de la sienne. Depuis 1945 au moins, dans la plupart des villes le nombre des journaux s'est réduit à un. Il faut des dizaines de millions de francs pour lancer un quotidien d'information. En conséquence, la «liberté de la presse» est devenue, non plus un droit du citoyen, mais un privilège de ploutocrates ou de gouvernants. C'est pourquoi une conception nouvelle a émergé.

Elle est apparue particulièrement dans les démocraties scandinaves et anglo-saxonnes où existent tout à la fois un consensus sur les valeurs nationales, l'usage que les partis alternent au pouvoir et, pour la presse, une tradition de liberté et de raisonnable agressivité. Autrement dit, des nations où l'opposition, qu'elle soit partisane ou journalistique, est intégrée dans la vie politique.

On s'est mis à définir la liberté de presse, non plus simplement comme la négation de la censure politique, ou même de toute censure, mais comme l'affirmation d'une tâche à remplir : satisfaire le droit à l'information de chaque citoyen. Le droit d'être informé bien. Et aussi le droit d'informer, c'est-à-dire d'avoir accès aux médias.

IV. — Le droit à la communication

La liberté de parole et de presse ne saurait rester une absence d'interdiction, qui profite seulement à une infime minorité[1]. Elle doit se transformer en droit de communiquer, pour tous. Jerome Barron, juriste étatsunien, déduit de la prohibition de toute censure (contenue dans le Iᵉʳ Amendement de la Constitution) l'existence d'un droit d'accès des citoyens aux médias : à quoi sert, en

---

1. «La liberté de la presse appartient à ceux qui possèdent une presse», selon la formule du critique américain A. J. Liebling.

effet, la liberté de s'exprimer si on ne peut pas se faire entendre? Mais édicter un accès aux médias est impensable: la déontologie est un moyen respectable d'y parvenir.

La communication étant un besoin essentiel de l'être humain, le «droit à la communication»[1] s'impose: le droit reconnu aux individus, aux groupes et aux nations d'échanger tout message par tout moyen d'expression. Et par voie de conséquence, l'obligation pour la collectivité de fournir les moyens de cet échange. Le droit à l'éducation ne signifierait pas grand-chose s'il n'y avait pas d'écoles, ni le droit à la santé sans hôpitaux.

Pourquoi? – Est-il raisonnable de vouloir muer en liberté «positive» une liberté «négative» dont la conquête a exigé des siècles de lutte – et qui ne règne pas encore sur l'ensemble de la planète? Il y a quatre raisons principales. En premier lieu, la technologie depuis quelque temps rend une communication globale possible, facile et bon marché. Nous sortons de la brève période des «mass media» durant laquelle la rareté des canaux de communication et le coût des investissements ont imposé l'expression à sens unique, la surconcentration des émetteurs et dans le domaine électronique, un étroit contrôle de l'État. Nous entrons dans le cyberespace.

Deuxième cause: la société de masse. L'individu moyen dispose de plus d'éducation, d'argent et de loisirs que jamais. Dans les pays développés, pour la plupart des habitants, la science et les sécurités sociales écartent la hantise de la misère et de la mort précoce. Pourtant l'être humain se sent à la dérive dans la «foule solitaire». Il se sent impuissant face à des bureaucraties publiques ou privées. Plus que jamais, il ressent le besoin de s'intégrer dans une communauté, de participer à la gestion de sa propre vie. A preuve, les luttes engagées par les minorités ethniques, les femmes, les consommateurs, les écologistes. Enfin, plus que naguère, les gens perçoivent leur dépendance envers le reste du monde. Pour toutes ces raisons, ils éprouvent la nécessité d'informer et d'être informés.

Troisième cause: la prise de conscience que l'information est une ressource naturelle très particulière, et très précieuse; que sur elle désormais se fondent la paix et la prospérité; que sa circulation libre et abondante conditionne l'émancipation de l'indi-

1. Concept lancé en 1969 par le Français Jean d'Arcy, repris dans les années 70 au Canada et aux États-Unis, puis par l'International Institute of Communications et l'Unesco.

vidu, le développement économique, la résolution des problèmes sociaux et une adaptation douce aux changements accélérés de l'environnement.

Une quatrième cause réside peut-être dans un sentiment de solidarité qui peu à peu s'étend au globe, malgré les grandes différences culturelles et les grandes inégalités. La multiplication des échanges de produits, de culture et surtout d'information, apparaît comme le seul moyen d'éviter une catastrophe économique, un désastre écologique ou même, encore (causé par quelque dictature terroriste), un holocauste nucléaire.

Lacunes de communication. — La communication sociale s'exerce à des niveaux et dans des directions divers. Les relations internationales se font de nation puissante ou de groupe financier (comme Radio France Internationale ou les studios de Hollywood) à nation faible ; de nation faible à nation puissante ; de nation faible à autre nation faible. Quant aux relations intergroupes, elles se font verticalement, soit de haut en bas : de gouvernement à peuple (par une radio d'État) ou de firme à grand public (par un quotidien national) ; soit de bas en haut (par sondage ou référendum). Enfin, la communication se fait horizontalement, d'un groupe à l'autre (par un canal d'accès public sur un réseau de câble local).

Il apparaît que dans trois directions le droit à la communication est peu exercé — et qu'il devrait l'être plus : de nation faible à nation forte, de citoyens à pouvoirs établis et de groupe à groupe dans la masse. Le but de la déontologie consiste pour une part à lever les obstacles.

Sauf un. Il est un arrêt de communication qui est parfaitement admissible : en cas de refus de communiquer. Au niveau individuel, chacun admet qu'on puisse ne pas acheter un journal ou allumer un récepteur de radio. On comprend moins les gens qui réclament le droit de ne pas être agressé par la publicité. Et au niveau international, on tolère parfois mal les efforts de certains pays pour protéger leurs cultures en freinant l'importation de produits audiovisuels étrangers. En fait, partout on entend réclamer une communication bidirectionnelle équilibrée, sauf aux États-Unis, bien sûr, du fait de leur hégémonie médiatique.

V. — **Valeurs médiatiques**

Traiter de déontologie revient à parler des devoirs des journalistes. Ces devoirs impliquent l'existence de droits que les gens de presse possèdent, en tant qu'humains et en tant que praticiens d'un métier particulier. La loi d'ailleurs leur garantit souvent certains de ces droits – et certains codes les évoquent. Droit à un salaire décent ; droit d'être informés de la politique rédactionnelle et consultés avant un changement important dans la gestion ; droit de refuser une mission incompatible avec leurs convictions ou avec la déontologie ; droit d'accès aux informations, etc. Étant les agents du public, ils vont où celui-ci ne peut pas aller en masse, font ce qu'il ne peut pas faire : ils jouissent de prérogatives, mais il leur faut rendre des comptes.

Devoirs de l'homme. — Les obligations du journaliste consistent d'abord dans les devoirs de tout être humain, appliqués dans le domaine des médias. Ils doivent répondre à des besoins instinctifs que semblent ressentir tous les humains : dès l'enfance, on désire s'exprimer librement ; on veut que les adultes disent la vérité, qu'ils soient responsables. D'ailleurs, du décalogue de Moïse, six commandements au moins sont applicables à la communication sociale : 2. pas de vénération pour les idoles, pas de parjure ou blasphème / 5. respect des anciens, des traditions / 6. pas de violence / 7. pas de pornographie / 8. pas de corruption / 9. pas de mensonge / 10. solidarité avec les autres journalistes. Semblablement, les valeurs fondamentales de l'Évangile résumées (par le journal *La Croix*) en cinq mots : liberté, dignité, justice, paix, amour (aime ton prochain comme toi-même) sont des pôles autour desquels on pourrait regrouper toutes les clauses des codes journalistiques.

L'héritage occidental. — Le journalisme est né et s'est développé entre la Renaissance et la Révolution française dans une Europe occidentale imprégnée des valeurs de la Réforme – en particulier l'individualisme et la responsabilité individuelle, le travail dans une vocation, la rigueur morale. Mais imprégnée aussi des valeurs rationnelles et libérales du Siècle des lumières. Puis, plus tard, par les concepts du « laissez-faire », de l'utilitarisme et du « darwinisme social ».

Les médias n'étant apparus qu'au tournant du XXᵉ siècle, les grands penseurs des siècles précédents n'ont pas eu à s'en préoccuper – mais ceux du XVIIIᵉ siècle n'avaient pas grande estime pour la presse. Plus récemment, les auteurs de codes déontologiques, soucieux de pratique et ignorants de la philosophie, se sont peu souciés de déchiffrer les œuvres de penseurs abscons.

A partir du XVIIIᵉ siècle, avec le progrès des sciences et techniques, a commencé de se développer un idéal de professionnalisme : prestige et puissance devaient émaner, non plus des ancêtres et de propriétés terriennes, mais de la compétence et de l'utilité sociale de l'individu. Ensuite, dès la fin du XIXᵉ siècle, les professionnels des médias ont constitué des associations afin de fixer leurs propres règles d'entrée et de pratique, dans le but de faire reconnaître leur indépendance par l'État et leur valeur par le public. On a ouvert des écoles spécialisées, on a écrit des codes.

Valeurs universelles. — Les valeurs médiatiques sont très largement les mêmes dans toutes les régions du globe où le régime est démocratique. La déontologie repose en effet sur des valeurs universelles, tel le refus de la haine, de la violence, du mépris de l'homme (fascisme) ou de certains hommes (racisme). La déontologie s'accorde avec la plupart des idéologies : judaïsme, bouddhisme, confucianisme, christianisme (catholique et protestant), islam modéré, humanisme, social-démocratie. Mais elle ne s'accorde pas avec extrémismes, totalitarismes ou fondamentalismes.

Il va de soi que la hiérarchie des valeurs varie d'une culture à une autre. Ainsi, une étude comparative de journalistes états-uniens et chinois a montré que les deux groupes estiment que l'information donnée doit être exacte et complète, mais le premier place en première ligne des vertus journalistiques l'agressivité et la curiosité, tandis que le second met en avant la modestie et la loyauté.

–Ce qui constitue une profession, selon Deni Elliott, ce sont des valeurs partagées par la plupart de ses membres – même si elles ne sont pas mises en noir sur blanc. Dans le cas des journalistes : publier un rapport complet, exact, pertinent, équilibré sur l'actualité ; donner aux citoyens l'information dont ils ont besoin ; ce faisant, ne causer de tort à personne. Se mettre à la place des personnes affectées par ce qu'on publie ; envisager les effets à court et long terme de ce qu'on révèle. Plus généralement, les valeurs journalistiques sont, bien sûr, liées aux fonctions des médias. D'où la nécessité que le journaliste ait une conscience claire de ces fonctions (voir p. 14).

Valeurs médicales. — Lors d'un congrès de 1994, regroupant une douzaine d'associations corporatives, la profession médicale en Grande-Bretagne a rappelé ses valeurs, très anciennes, et toujours valables pour le XXIe siècle. Il est frappant qu'elles conviendraient à la profession médiatique : engagement, compassion, intégrité, compétence, esprit d'enquête, confidentialité, responsabilité envers les usagers et la communauté. Les médecins eux aussi s'inquiètent de la baisse de confiance des usagers, de leurs plaintes et procès. Ils jugent que la profession entière doit se sentir responsable des actes de ses membres et doit organiser son autodiscipline. Ils recommandent des évaluations par les pairs avec participation des patients. Ils estiment que la profession doit participer activement à l'amélioration de la société.

DEUXIÈME PARTIE

LA DÉONTOLOGIE

Chapitre I

LES CODES : TYPES ET CONTENUS

La plupart des nations où le régime n'est pas dictatorial possèdent maintenant au moins un code de presse. De la Norvège à l'Afrique du Sud, du Japon à la Turquie, du Canada au Chili.

Parfois il s'appelle code d'éthique, ou d'honneur ou de conduite – ou encore charte des journalistes, règles de bonne conduite ou déclaration de principes. Les Français, sans doute à cause du Code civil et du Code pénal, répugnent à user du terme « code ». Ils préfèrent « charte » alors même qu'originellement une charte est une liste de *droits* (et non de devoirs), le plus souvent octroyés par un souverain.

Nature du code. — Au moment où un code est adopté, le plus souvent, il existe déjà une loi. Mais les rédacteurs du code en sentent tout à la fois l'insuffisance et les dangers. Ce qu'ils rédigent n'est pas un texte sacré, sur lequel ils comptent que chacun prendra un engagement absolu, mais un vade-mecum, dont l'efficacité suppose que le journaliste possède un sens moral.

Dans tout métier, il y a des choses « qui se font » et des choses « qui ne se font pas »[1]. Traditionnellement, on les apprend sur le tas – et celui qui viole les usages trop sou-

---

1. Il arrive que le code reflète le souvenir de spectaculaires manquements récents.

vent est ostracisé. Mais pour rester vivante, la tradition a besoin d'être débattue, purgée, actualisée, organisée – et mise en noir sur blanc, localement ou nationalement. Sinon, elle demeure trop floue, parfois ambiguë, ou même très contestable[1]. Parallèlement, dans la plupart des organes de presse, il existe des principes éditoriaux, soit transmis oralement, soit rédigés (à l'intention parfois du public ou des annonceurs).

Objectifs des codes. — Dans un corps de métier (l'immobilier par exemple, ou la pharmacie), le code de déontologie vise à écarter escrocs et charlatans. Le code informe le public sur la profession : il lui signale qu'elle a des règles de conduite. En augmentant sa crédibilité, il garantit la fidélité de la clientèle et, dans le cas des médias, l'attachement des annonceurs – donc la prospérité.

Le code protège le client, mais en outre il crée une solidarité au sein du groupe et maintient le prestige de la profession, donc son influence. On n'a pas forcément l'intention, ou la possibilité, de les respecter, mais on affiche les Tables de la loi. On se donne, à tout le moins, un idéal. On tente d'armer la conscience individuelle de chaque professionnel en énonçant des valeurs et des principes unanimement reconnus. Le code donne à chacun un sentiment de sécurité, de force collective.

Par ailleurs, le code vise à éviter l'intervention de l'État. Celle-ci peut être redoutable dans le cas des médias. Quand ils engendrent une méfiance du public à leur égard, le législateur projette, et vote parfois, des lois répressives. L'apparition de ce danger déclenche chez les professionnels des gestes d'autoréforme : le premier est d'élaborer un code.

La charte, surtout si elle comporte aussi une liste des droits du journaliste, peut utilement lier la direction. D'où bien souvent (comme en France) le refus des patrons de l'endosser. Grâce à elle, les professionnels

---

1. On a longtemps admis que les journalistes reçoivent une « enveloppe » après les conférences de presse de chefs d'entreprise. Et il ne faut pas oublier que dans l'entre-deux-guerres la presse parisienne était une des plus corrompues d'Europe.

obtiennent une protection contre tout employeur qui exigerait d'eux un comportement contraire au service public : ils peuvent arguer que cette conduite les mettrait au ban de la corporation.

Les auteurs de codes. — Mis à l'écart les codes d'origine gouvernementale, qu'on peut assimiler à des décrets, il existe des codes nationaux, faits par une association ou plusieurs (patrons plus journalistes, au Ghana) – et des codes internationaux, comme celui de la Fédération internationale des éditeurs de journaux[1]. D'autres ont été faits par des associations patronales (comme la charte de bonne conduite du Syndicat de la presse quotidienne régionale) ou des syndicats (comme en Suisse et en Grande-Bretagne) ou encore des associations de journalistes (Society of Professional Journalists-SDX aux États-Unis). Il y a des codes monomédia, comme celui de l'ASNE pour la presse écrite et celui de la NAB[2] pour la radiotélévision. Il y a des codes propres à un organe de presse, soit un journal comme *La Croix* (à Paris) ou le *Chicago Tribune*, soit une chaîne de radiotélévision, comme NHK au Japon.

Un « code de déontologie » devrait être volontairement formulé au sein d'un corps de métier. Pour cette raison, certains refusent de prendre en compte les règlements édictés par les patrons pour leurs employés[3], comme la « charte rédactionnelle » de *Nord-Éclair* – ou encore les *style-books,* comprenant toutes les instructions aux journalistes (aussi bien la ponctualité que la ponctuation) – mais aussi de la déontologie.

L'objection à ces « codes de comportement » ou « chartes d'entreprise » est contestable : en effet, ils consistent en des règles qui ne sont pas différentes, sauf à être plus concrètes, plus précises. Le plus souvent, ils sont rédigés à l'initiative des cadres supérieurs de la rédaction,

---

1. Rebaptisée World Association of Newspapers en 1996.
2. ASNE, association étatsunienne des rédacteurs en chef de quotidiens. NAB (National Association of Broadcasters), syndicat patronal de la radiotélévision.
3. Les journaux étatsuniens ont reçu en 1976 le droit d'imposer un code à leurs employés et dès 1980 la majorité en possédait un.

journalistes donc, en concertation avec le personnel. Ces codes ont l'avantage de pouvoir être intégrés dans les contrats d'embauche, et de comporter des sanctions. D'ailleurs, certains codes sont mis au point conjointement par journalistes et patrons au sein d'un organisme qui les regroupe, comme le Conseil de presse allemand. On peut aussi adjoindre aux chartes la jurisprudence des conseils de presse – quand ils se soucient de la compiler, et les déclarations de principes qu'il leur arrive de faire.

Quand les professionnels s'attellent à la rédaction d'un code, il est souhaitable qu'ils invitent certains des experts qui observent et analysent les comportements et les contenus des médias ; et surtout les usagers, qui possèdent la liberté de presse. Il est bien qu'un code soit accepté par tous les membres de la corporation. Il est mieux qu'il soit approuvé par la société environnante.

Historique. — C'est au début du XXe siècle que les codes se sont multipliés, sous l'effet, pour une part, du mouvement progressiste qui dénonçait les abus du capitalisme sauvage, notamment dans la presse. C'est alors aussi que les journalistes ont pris conscience de former une caste particulière.

Dès 1896, les journalistes polonais de Galicie se sont donné une liste de devoirs et un tribunal d'honneur. Aux États-Unis en 1910, une association de la presse du Kansas adopta un code[1] qui concernait éditeurs et directeurs. En 1924, plus d'une demi-douzaine de quotidiens avaient leur propre charte. Le premier code national fut français : la Charte des devoirs du Syndicat national des journalistes français (SNJ) – adoptée en 1918. Quant au premier code international ce fut, en 1926, celui de l'Association interaméricaine de la presse. Puis en 1939 la Fédération internationale des journalistes (FIJ) établit son Code d'honneur.

Les codes sont apparus partout après la deuxième guerre mondiale. Dès sa création, l'ONU s'est penchée sur cette question. Mais son projet de code, envoyé pour avis à environ 500 associations de presse en 1950, n'a jamais été adopté, surtout parce que les organisations professionnelles ont refusé, à juste titre, que des instances gouvernementales mettent le nez dans ces affaires.

La vague d'intérêt suivante pour la déontologie s'est enflée au

---

1. Mais on cite souvent le « Credo du journaliste », rédigé en 1908 par le premier doyen de la première faculté de journalisme, à l'Université du Missouri.

tournant des années 70, au sein de l'Unesco, du Conseil de l'Europe, de la FIJ, de l'International Press Institute – après les grandes effervescences contestataires. Enfin, la quatrième se situe après la guerre du Golfe (1991).

I. — **Les types de clauses**

On peut s'attendre que la définition des «pratiques scandaleuses» des médias varie selon la culture d'une nation, son stade d'évolution, son régime politique. Elle ne saurait être identique en pays communiste et en pays libéral, en pays archaïque et en pays ultramoderne, en

---

Code synthétique

Valeurs fondamentales
— Respecter la vie.
— Promouvoir la solidarité entre les humains.

Règles morales générales
— Ne pas mentir.
— Ne pas s'approprier le bien d'autrui.
— Ne pas faire souffrir inutilement.

Principes journalistiques
— Être compétent (donc sûr de soi, donc prêt à reconnaître ses erreurs).
— Être indépendant, vis-à-vis des forces économiques et politiques.
— Ne rien faire qui diminue la confiance du public envers les médias.
— Avoir une définition large et profonde de l'information (pas limitée à l'évident, à l'intéressant, au superficiel).
— Fournir un rapport exact, complet et compréhensible sur l'actualité.
— Servir tous les groupes (riches/pauvres, jeunes/vieux, gauche/droite).
— Stimuler la communication, donc l'entente, entre les humains.
— Défendre et promouvoir les droits de l'homme et la démocratie.
— Travailler à l'amélioration de la société environnante.

---

pays musulman et en pays hindouiste. Pourtant, dans la plupart des codes, on retrouve les mêmes règles fondamentales. La cause en est la communauté de culture des pays où sont apparus les premiers codes – et la concertation internationale.

Parmi les professionnels, les observateurs universitaires, les champions des usagers, il n'y a pas de désaccord profond sur ce que les médias devraient et ne devraient pas faire. Certes, les multiples codes diffèrent, ne fût-ce que dans leur précision. La Charte du SNJ tient en une demi-page – et le code du *Courrier-Journal* de Louisville (États-Unis) fait 65 pages. Par ailleurs, chaque code se distingue par la présence ou l'absence de certaines exigences. Il semble que, si tous les codes ne comportent pas toutes les clauses classiques, c'est probablement parce que les auteurs tenaient à faire court, ou alors tout simplement qu'ils n'y ont pas pensé.

Souvent, les recommandations des codes elles-mêmes sont énoncées en vrac. Bien des experts, qui prétendent analyser les codes, s'enlisent dans la confusion. Tracer un panorama compréhensible de la déontologie exige qu'on mette un peu d'ordre. Une moisson de règles a été faite dans des codes internationaux, nationaux, ou internes. Elles sont ici distribuées en sept catégories. Pour éviter les répétitions, chaque clause n'est citée qu'une fois (sauf exceptions). Les règles présentées dans une catégorie donnée ne représentent donc qu'un échantillon.

1. Selon la nature des règles.

Règles idéales. — Il est bon qu'un but soit défini vers lequel les professionnels doivent tendre, bien qu'il leur soit souvent impossible de l'atteindre : ne jamais accepter de missions contraires à la déontologie ; avoir une excellente connaissance des sujets dont ils parlent ; laisser ses propres opinions en dehors de son reportage ; toujours présenter plusieurs points de vue ; lutter constamment pour défendre les droits de l'homme.

Règles générales. — Certaines règles sont valables pour tous les citoyens, toujours, sans exceptions (ou presque). Il en est d'ailleurs qui font l'objet de lois, ou de prescriptions religieuses : ne pas mentir, ni voler ; ne pas causer inutilement une souffrance à qui que ce soit. D'autres règles s'adressent particulièrement aux journalistes : ne pas falsifier volontairement une information ; ne pas accepter d'avantages financiers ou en nature visant à obtenir la publication ou la non-publication d'un article ; ne pas même donner à penser qu'on a un comportement contraire à la déontologie.

Règles à exceptions. — La fin parfois justifie les moyens. Il est des règles qu'un média peut négliger quand cela sert l'intérêt public, notamment quand il révèle des comportements antisociaux ou des menaces sur la santé publique. Le journaliste ne doit pas dissimuler son identité à ses sources, ni recueillir clandestinement de l'information (grâce à une caméra cachée par exemple), ne doit inciter personne à commettre un délit, ni s'immiscer inutilement dans la vie privée des gens – sauf, bien sûr, quand le ministre de la Défense partage une catin avec l'attaché naval d'un pays hostile[1].

Règles controversées. — Naturellement, les journalistes peuvent différer sur les réponses aux questions déontologiques – particulièrement sur certains points. Les médias doivent-ils mettre en question tout ce qui vient du gouvernement, comme aux États-Unis ou doivent-ils ne pas se livrer à des attaques «injustifiées» sur des élus, hauts fonctionnaires et institutions (Corée, Turquie) ? Les rédacteurs en chef sont-ils responsables des actes des journalistes de leur équipe (Grande-Bretagne, Suède) ou le journaliste doit-il ne jamais rejeter la responsabilité de ses écrits sur un supérieur (France, Égypte) ? Le journaliste doit-il ne jamais donner son opinion (Japon) ou a-t-il le droit d'exprimer son opinion (Égypte) – vieux débat entre Français et Étatsuniens ?

On peut évoquer d'autres points de désaccord. En Espagne, il est normal de ne pas donner ses sources : les politiciens aiment faire des déclarations *off-the-record* (à publier sans attri-

---

1. Affaire Profumo, Grande-Bretagne, 1963.

bution) – alors qu'aux États-Unis ne pas indiquer ses sources est une faute. Un journaliste peut-il laisser une source consulter son texte/émission avant publication ? Les réponses divergent : en aucune circonstance, seulement pour vérifier les données factuelles. En tout cas, si accès est donné, le fait doit être signalé à l'usager. En Suède, on juge qu'il ne faut pas traiter des crimes sexuels sauf s'il y a danger pour le public ; par contre, bon nombre d'Américains veulent lever ce tabou, qui fait du tort aux victimes.

2. Selon les fonctions des médias.

Observer les alentours. — Comme la plupart des codes concernent le journalisme, c'est évidemment dans cette catégorie que tombent une majorité de clauses. Le journaliste ne doit céder à aucune pression visant à influencer la sélection ou la présentation des nouvelles, qu'elle vienne de l'intérieur ou de l'extérieur de la profession. Poussant plus loin, certains codes lui donnent pour mission d'exiger que les affaires publiques soient réellement publiques, décisions des gouvernants, débats d'assemblées représentatives ou archives officielles.

Donner une image du monde. — Puisque l'essentiel de ce que nous savons de la planète nous vient des médias, le journaliste doit se préoccuper d'en donner une image exacte, de ne pas susciter xénophobie, racisme ou sexisme, etc. Il doit améliorer le portrait traditionnellement fait des autres peuples dans son pays (en évitant les stéréotypes, par exemple) et susciter la curiosité et la sympathie pour leurs cultures.

Servir de forum. — C'est par le biais des médias que se fait la communication sociale, nécessaire pour aboutir aux compromis indispensables. Sur les grandes questions d'actualité, divers points de vue doivent être présentés. Le code lituanien demande que soit présentée toute la gamme des opinions. Les divers groupes sociaux doivent pouvoir s'exprimer et au moins pouvoir répondre quand ils sont mis en cause. Et le faire ouvertement : en Lettonie, au milieu des années 90, après une campagne électorale, la presse a elle-même révélé que tous les partis avaient acheté des articles à presque tous les médias.

Transmettre la culture/Divertir. — Ces deux fonctions sont, bien sûr, assurées avant tout par les médias de divertissement. Ils sont traités séparément (voir p. 57).

Vendre. — Il y a bien longtemps qu'on accuse les médias de se prostituer. Certaines rubriques sont soupçonnées de corruption : restauration, tourisme, mode, beauté, automobile. Il en est de même des revues qui vivent presque exclusivement de la publicité d'un étroit secteur de l'économie. Les codes sont donc clairs : pas de suppression, distorsion, invention de nouvelles pour plaire à des annonceurs. Ne faire à ces derniers aucune faveur : qu'il s'agisse publier des communiqués de presse pour une ouverture de magasin, un nouveau modèle de voiture, une présentation de mode ou même un spectacle nouveau (Suède). Et le journaliste ne doit en aucune manière se livrer personnellement à une activité relevant de la publicité ou des relations publiques.

3. Selon la portée des règles.

Règles propres à certains médias. — La plupart des codes se concentrent sur le journalisme écrit. Il serait bon que, comme au Japon, tous les médias, presse quotidienne, radiotélévision publique, radiotélévision commerciale, presse magazine, édition de phonogrammes, édition de livres aient chacun leur code. Il y a assez peu de codes spécifiques à la radiotélévision, sauf aux États-Unis. La raison en est, dit-on, que, malgré la déréglementation des années 80, ces médias restent plus assujettis à des lois que la presse.

Les journalistes de l'audiovisuel, chargés de leur équipement, doivent intervenir aussi discrètement que possible pour éviter de déformer l'événement (défilés, procès). Involontairement, ils encouragent parfois les manifestations, la violence. On doit avertir le téléspectateur avant une séquence susceptible de choquer ; ou quand on utilise des images d'archives ou la reconstitution d'un incident. On doit crypter le visage et la voix de toute personne présentée à l'écran qui pourrait souffrir d'une identification.

Règles concernant un secteur de l'actualité. — Certaines catégories de gens de médias se donnent un ensemble de règles spécifiques : journalistes financiers, reporters d'enquête, journalistes catholiques, reporters sportifs ou photographes de presse. En général, ces règles précisent certaines clauses des codes ordinaires.

Cela dit, il est trois secteurs souvent couverts par des généralistes qui font l'objet d'une attention particulière : le terrorisme, les faits divers et les procès. Quelques grands médias ont prévu l'attitude à tenir en cas d'émeutes urbaines : être discret, froid, très prudent quant aux rumeurs. Éviter les reportages en direct, ne pas gêner les forces de l'ordre.

Dans les récits de faits divers[1], on ne doit ni souligner des traits de l'accusé (race, religion, profession, etc.) qui ne sont pas pertinents à l'affaire ; ni donner les noms de mineurs accusés de crimes ; ni citer des délits ou crimes passés, surtout s'ils ont été amnistiés – sans parler du droit au pardon pour les condamnés qui ont accompli leur peine. On ne doit pas identifier de proches ou d'amis de personnes accusées de crime, sauf nécessité grave. Ne pas nuire aux victimes ou acteurs involontaires dans des affaires criminelles (ne pas aider des complices à venger un criminel arrêté). Le journaliste doit rappeler sans cesse la présomption d'innocence : ne jamais décider qu'un accusé est coupable avant jugement.

Tout citoyen a droit à un procès équitable, sans que juge ou jury soit influencé par la presse. Des lois britanniques très strictes réglementent les comptes rendus de procès, mais dans bien des pays ces exigences relèvent de la déontologie. Le journaliste doit bien expliquer les termes juridiques. Et ne rien publier qui puisse affecter l'opinion d'un tribunal.

Règles propres à certains pays. — Elles dépendent soit de l'héritage culturel, soit du degré de développement économique, soit encore de la structure des médias. A l'époque de la Guerre froide, le code autrichien recommandait d'être

---

1. Le Danemark a un code restreint au reportage de crimes. Le quotidien *Ouest-France* en a un réservé aux faits divers et le code de *La Voix du Nord* leur est largement consacré.

très prudent dans les rapports sur des pays totalitaires pour protéger les personnes qui y vivaient. Dans les pays scandinaves, on est très attaché aux droits de l'homme : sauf exception justifiée par l'intérêt général, il faut éviter de mentionner les suicides, ne pas publier de photos de personnes sans les identifier dans la légende, ne pas même révéler les noms des accusés avant que le tribunal ait statué sur leur cas. Les pays anglo-saxons étant puritains, on y a une fascination pour le sexuel et des codes aux États-Unis en sont à interdire de mentionner les tampons périodiques.

Au Japon, la tradition confucéenne exige l'harmonie sociale, le respect des hiérarchies et en particulier des anciens, la loyauté envers le groupe. Le journalisme est donc bien moins agressif, moins iconoclaste qu'aux États-Unis.

Certaines clauses (accès du public aux médias, défense des droits de l'homme, multiculturalisme, médias éducatifs, Nouvel ordre mondial de l'information, lutte pour la paix, contre le colonialisme) caractérisaient les codes « socialistes », pure propagande, ainsi que certains textes parrainés par l'Unesco à l'époque où on lui reprochait de céder trop souvent au Tiers Monde et à l'empire soviétique. Ce n'est pas une raison pour les rejeter d'emblée : certaines sont excellentes[1].

Dans les pays musulmans, l'éthique est intimement liée à la religion. Au sein de certaines élites, elle est influencée par le « modernisme » occidental – mais beaucoup des régimes sont autoritaires, donc hostiles à la liberté de presse, donc hors déontologie. S'il existe un code, il est officiel.

Règles propres au Tiers Monde. — Il est des régions où se posent des problèmes que ne connaissent (presque) plus les démocraties industrialisées, et où la « déontologie » de la presse consiste d'ordinaire en une réglementation officielle. On y trouve un fort souci de préserver la nation. Le journaliste ne doit pas attenter aux institutions ; respecter l'État et ses agents ; ne pas mettre en péril la sécurité du pays[2] en suscitant, par exemple, la désaffection dans les forces armées.

---

1. Un expert finnois (Juusela, 1991) considère que les codes d'URSS et de Hongrie (avant 1991) sont les plus complets, avec celui de Finlande. Les règles édictées par le magnat W. R. Hearst (Citizen Kane) sont également remarquables.

2. Il est intéressant que les médias étatsuniens soient souvent critiqués sur ces points.

Les codes demandent de renforcer le sentiment national, de ne pas encourager les conflits entre communautés ethniques ou religieuses, de lutter contre le fanatisme et le tribalisme. En fait, dans l'éthique réelle, au Nigeria par exemple, le tribalisme est central : on juge bon et juste ce qui sert son groupe ethnique. Il en va de même pour les castes en Inde[1]. Les codes recommandent d'être prudent dans le reportage d'événements (meurtres, émeutes, etc.) qui pourraient déclencher des émulations. Ce souci de préserver l'harmonie sociale ne fait pas l'unanimité : pour certains, il ne s'agit que de la conservation d'un ordre social injuste, d'un régime politique oppressif, d'une vision du monde anachronique.

Les médias doivent mobiliser les énergies pour le développement ; servir activement les intérêts et objectifs nationaux, l'éducation des masses, la justice sociale, le progrès économique. La vie culturelle doit être décolonisée. Les médias ne doivent dépendre aucunement d'un capitalisme étranger. Le journaliste ne doit en accepter aucun subside.

4. **Selon la catégorie de professionnels.**

Journalistes et patrons, beaucoup de règles s'appliquent aux deux. Les rédacteurs en chef sont à la fois journalistes et représentants de la direction. Dans les petits organes, le propriétaire peut être le principal rédacteur. Il est des pays où les deux catégories ont signé le code, comme en Suède. A tous, il est demandé de ne pas déformer l'information pour des raisons personnelles (ambition, vendetta), caractérielles (faiblesse devant des pressions), idéologiques ou financières.

Règles pour patrons (et leurs agents) seulement. — Il est assez peu question des devoirs des « médias » dans les codes. Pour deux raisons au moins : d'abord, la loi souvent les impose ; ensuite, bien des codes ont été élaborés par des groupements de journalistes pour leurs membres. L'attention que portent les patrons de presse à la déontologie varie selon les pays : très faible aux États-Unis et forte dans les pays nordiques. Il est pourtant utile qu'ils donnent l'exemple et il est nécessaire qu'ils permettent à leurs salariés de le suivre.

1. Voir T. W. Cooper, *op. cit.*, p. 124 s. (Nigeria) et 147 s. (Inde).

D'abord, en versant des rémunérations qui maintiennent leur dignité et leur honnêteté : en Inde, en Russie, en Amérique latine, beaucoup de journalistes ne peuvent pas survivre avec leurs seuls salaires. Et par ailleurs, ils ne doivent pas assigner des tâches qui risqueraient d'entamer la réputation de la profession.

Le dirigeant de médias doit séparer strictement ses intérêts journalistiques et commerciaux. Il ne doit pas omettre certaines informations, ni donner à d'autres une importance indue, dans un but politique, publicitaire ou démagogique – ou pour défendre les intérêts de son groupe ou des milieux d'affaires en général. Précisément, il ne doit pas faire insérer d'office tous les communiqués de presse, ou n'importe quelle réclame ; ni promettre à des annonceurs de leur consacrer de la surface rédactionnelle ; et encore moins faire une bonne couverture d'un événement ou d'une association en échange de l'achat à l'avance d'une quantité d'exemplaires. Enfin, il doit se sentir responsable des contenus de la publicité, quant au bon goût, l'exactitude et l'innocuité.

Règles pour journalistes seulement. — Selon bien des codes, ils doivent rester neutres : entre autres, ne pas participer à des manifestations ou signer de pétitions. Surtout, le professionnel doit rester scrupuleusement honnête : éviter tout « conflit d'intérêt » en n'acceptant pas de faveurs morales ou matérielles, de cadeaux, rabais, services, voyages, entrées au spectacle gratuits, emploi d'appoint (conférences , animation de colloque). Il ne doit pas non plus recevoir d'argent sous la forme de prix attribués par des institutions non journalistiques. Plus généralement, il ne doit pas utiliser sa qualité de journaliste pour obtenir un avantage personnel quelconque, comme en faisant de la publicité clandestine. *A fortiori*, comme le précisent quelques codes, ne pas vendre sa plume[1], se livrer au chantage ou à l'extorsion de fonds.

Le cas des journalistes financiers est particulier. Ils ne doivent pas utiliser à leur profit des informations financières reçues dans

---

1. Il est banal, dans la Russie des années 90, qu'un homme d'affaires ou un politicien achète une interview.

le cours de leurs activités avant qu'elles ne soient publiées. Ni tenter, dans leur intérêt personnel, de faire monter ou baisser les cours de la Bourse par leurs articles. Bien des médias leur imposent de signaler à la direction tous leurs intérêts financiers.

Le professionnel ne doit pas même donner à penser qu'il puisse être corrompu : il est très regrettable qu'à la fin du XXe siècle un président du patronat puisse croire que «les journalistes, ça fonctionne soit avec des petits-fours, soit avec des enveloppes».

5. **Selon la responsabilité envisagée.**

On n'est pas simplement «responsable» : on est responsable envers quelqu'un. Un professionnel des médias l'est d'abord envers lui-même. Il ne doit pas trahir ses convictions, doit refuser d'exécuter une tâche contraire à la déontologie. Il est responsable aussi envers son employeur. Il ne doit, par exemple, rien révéler des affaires internes de la firme ; il doit respecter la loi et ne pas attirer l'opprobre sur l'organe de presse. Ni sa vie privée, ni des engagements politiques, ni la très haute rémunération de prestations extérieures, ne doivent faire naître le soupçon d'un conflit d'intérêt. Encore moins doit-il travailler pour d'autres employeurs sans autorisation, surtout pour des concurrents – sans parler de tricher sur un CV ou une note de frais. Mais le journaliste est surtout responsable envers quatre groupes :

Envers ses pairs. — Il ne lui faut en aucune manière discréditer la profession. Il lui faut lutter pour les droits des journalistes, contre toute censure et pour l'accès à l'information, officielle ou privée. Il doit être confraternel envers les autres journalistes : ne pas leur causer du tort, à des fins égoïstes ; ne pas offrir de travailler à moindre salaire ; ne pas s'approprier idées, données ou produits appartenant à d'autres. Il doit aider les collègues en difficulté, en particulier les correspondants étrangers[1].

---

1. On se rappelle que, lors de la guerre du Golfe, l'AFP fut exclue des *pools* constitués par les Étatsuniens.

Envers ses sources. — Le journaliste doit respecter les dates de publication fixées pour les communiqués distribués à l'avance (embargos). Il doit veiller à l'exactitude de toute parole rapportée (surtout s'il la place entre guillemets) ; ne pas déformer une parole en la citant hors contexte, ni déformer un long exposé en le résumant. Il ne doit pas publier une information qui lui a été donnée à condition qu'elle ne soit pas rendue publique avec attribution, ni dévoiler une source à qui il a promis le secret – sauf si, exceptionnellement, l'intérêt public l'exige. En revanche, il doit exercer son esprit critique à l'égard de ses informateurs, ne pas se laisser manipuler ou intoxiquer ; se méfier des déclarations de personnes choquées ou faibles d'esprit.

Envers les personnes en cause. — Le journaliste ne doit pas lancer d'accusations, même fondées, si elles ne servent pas le bien public. S'il accuse ou critique une personne, il doit lui donner l'occasion d'exprimer son point de vue. Il ne doit pas non plus relever une caractéristique quelconque (sexe, nom, nationalité, religion, groupe ethnique, caste, langue, option politique, emploi, domicile, préférence sexuelle, handicap physique ou mental) si ce trait n'est pas pertinent. Et encore moins s'en servir pour la discréditer. Il ne doit pas utiliser d'expressions inutilement péjoratives, ne pas salir par insinuation. D'une façon générale, sauf si l'intérêt général est en jeu, le droit d'informer ne doit jamais être utilisé afin de nuire à des personnes ou des groupes, physiquement, moralement, intellectuellement, culturellement ou économiquement. Une présentation en images d'accidents ou de crimes horribles, par exemple, risque de blesser les proches des victimes.

Envers les usagers. — En tout cas, le professionnel ne doit pas causer du tort aux usagers. Que ce soit en utilisant des méthodes « subliminales » pour faire passer un message audiovisuel. Ou en publiant des reportages sensationnels sur des découvertes médicales ou pharmaceutiques susceptibles de créer des craintes ou des espoirs injustifiés.

Les médias ont aussi des devoirs envers la communauté qu'ils desservent : ne pas choquer la conscience morale du public; découvrir ses besoins[1]; servir tous les groupes. En outre, les médias ont des devoirs envers la société dans son ensemble (en plus de respecter les lois): ne pas satisfaire la curiosité du public au lieu de servir son intérêt; ne rien publier qui attente à l'institution familiale; ne pas se faire le chantre de la loi de la jungle; lutter contre les injustices et parler au nom des sous-privilégiés; améliorer la coopération entre les peuples; ne pas spéculer sur la peur; ne pas cultiver l'immoralité, l'indécence ou la vulgarité; ne pas encourager les bas instincts; ne pas glorifier la guerre, la violence, le crime.

6. Selon le stade des opérations.

Obtention de l'information. — Première règle, évidente: ne pas inventer l'information. Mais le journaliste ne doit pas non plus utiliser des moyens malhonnêtes pour obtenir une information ou une photo, comme dissimuler son identité, s'introduire sur une propriété privée, enregistrer une conversation subrepticement, dérober des documents – sauf si l'intérêt public le justifie, et qu'il n'y a pas d'autre moyen – et à charge pour lui de le signaler dans son récit.

Les 25 articles publiés par le *Chicago Sun-Times* en 1977 après qu'il a ouvert un faux bar, «Le Mirage», afin de révéler la corruption des divers services municipaux, ont permis un grand coup de balai – mais n'ont pas obtenu le prix Pulitzer: il y avait eu incitation au délit.

On ne doit pas payer l'information à des témoins de crimes ou des criminels. Ni utiliser de moyens coercitifs (mensonge, harcèlement, menace, chantage). Ne pas interviewer des enfants sur des affaires les concernant. Ni violer la vie privée des gens, notamment des humbles, surtout quand un malheur les frappe. Ne pas abuser de la naïveté de gens peu habitués à traiter avec les médias; ne pas les ridiculiser. Prévenir l'interviewé de l'usage qui va

---

1. Un directeur de quotidien parisien à qui l'on demandait en 1993 s'il faisait faire des études régulières de son public répondit qu'elles seraient bien trop chères. Il venait de se flatter de posséder des matériels informatiques du dernier cri.

être fait de ses propos – mais ne pas l'informer des questions à l'avance.

Sélection. — Il ne faut pas publier une hypothèse comme s'il s'agissait d'un fait avéré ; ni une nouvelle, même vraie, si elle n'a pas d'utilité sociale et peut faire du tort aux personnes impliquées. Il faut écarter les rumeurs, les informations non vérifiées, les communiqués d'attachés de presse – ou alors les marquer comme tels. Éviter les « micro-trottoirs » et autres documents sans valeur.

Il ne faut pas omettre une information (faits ou paroles) par paresse (nécessité de recherche, de traitement) ou par couardise (source non officielle, les médias prestigieux n'en ont pas parlé). Ni sous des pressions internes (du service commercial, par exemple) ou externes (d'annonceur ou de source), directes ou indirectes.

Il faut sélectionner les informations en fonction de leur importance, de leur utilité pour le public – et non de la curiosité d'une masse sous-éduquée, son désir de divertissement, son voyeurisme. Ne pas faire la part trop belle aux informations aguichantes (sexe, crime) ou susceptibles de démoraliser la population.

Traitement/présentation. — Bien distinguer entre publicité et rédactionnel. Et ne pas mêler faits et commentaires : mais cette séparation faite, tout média a le droit d'être partisan s'il le désire, à condition de ne pas déformer l'information. Afin de fournir une information complète et compréhensible, il faut mettre l'actualité en contexte, donner des analyses, commentaires, opinions. S'assurer qu'ils correspondent aux faits et les étiqueter clairement. Présenter plusieurs points de vue sur toute affaire controversée. Créer des pages, des émissions où ces questions importantes sont débattues.

Il faut vérifier minutieusement les données, car une correction ne peut pas toujours effacer le tort causé. Indiquer ses sources ; sinon, préciser pourquoi c'est impossible. Signaler s'il s'agit d'informations incertaines, de photos posées. Mettre des titres, et composer des résumés, qui correspondent aux contenus des articles. Ne pas altérer le sens des lettres de lecteurs en les abrégeant ; si on fait des coupures, le signaler. Faire attention que des photos ne risquent pas d'être mal interprétées ; ne pas manipuler des photos, ou des bandes son, de telle manière qu'il y ait distorsion.

Ne pas donner à une nouvelle une importance indue, ne pas la sensationnaliser (langage excessif, photos spectaculaires), surtout s'il s'agit d'actes de violence. Éviter les descriptions inutilement choquantes, notamment d'exécution, d'accidents et d'actes de cruauté, traumatisants pour des jeunes.

Après-publication. — En France et dans les pays latins, un droit de réponse est accordé par la loi. Dans les pays anglo-saxons, une telle obligation fait hurler – mais les codes étatsuniens recommandent abondamment d'accorder volontairement ce droit. S'il y a plainte, il doit vite lancer une enquête et, le cas échéant, publier correction et excuses. En outre, le média doit reconnaître ses erreurs vite, nettement, visiblement[1].

Pendant la guerre du Golfe, la plupart des chiffres donnés étaient faux (ex. 547 000 soldats irakiens au lieu de 183 000 ; destruction par les fusées *Patriot* d'un Scud sur dix, et non de la quasi-totalité). Très peu de quotidiens ou journaux télévisés l'ont reconnu et se sont excusés.

II. — **Codes des médias de divertissement**

A la plupart des médias, la plupart des usagers demandent d'abord un divertissement. Il est donc normal que certains des principaux reproches adressés aux médias visent le divertissement. On les accuse d'agir comme une drogue, excitante ou anesthésiante – et ainsi de manipuler les masses au bénéfice des puissants.

Journalisme et divertissement. — La distinction entre les deux, qui est nécessaire – n'est pas absolue. La commercia-

---

1. Il est arrivé au *New York Times* de se corriger en haut de page Une, sur deux colonnes (13/7/1987).

lisation des médias pousse à une corruption de l'information par le *show business*. En France, la confusion s'accroît du fait qu'un même individu puisse opérer dans les deux domaines, comme journaliste et comme animateur.

Certes, il y a souvent chevauchement : beaucoup de faits divers relèvent du divertissement – et nombreux sont les films ou les séries dont on tire un savoir. La déontologie ne peut être identique dans les deux secteurs. Par exemple, inexactitudes, dialogues inventés, mélange de personnages et d'événements réels et fictifs, plaidoyer pour une thèse : tout ceci est acceptable dans un drame historique, et intolérable dans un compte rendu d'actualité. En réalité, certains des méfaits dénoncés dans les codes journalistiques sont dus à la confusion entre les informations (utiles, importantes) et le divertissement, titillant ou angoissant.

Il n'y a pas de codes faits par les «saltimbanques». On peut s'en étonner car les publicitaires, les attachés de presse, s'en sont donné un – sans compter les pharmaciens ou les architectes. Les causes ? Sans doute les professionnels et les produits sont-ils trop divers. Comment concevoir les mêmes règles (autres que de vagues exhortations) pour des médias grand public et des médias spécialisés (France 2 et un canal crypté du câble ; RTL et un mensuel érotique) ? Cela dit, bon nombre de codes ont été mis au point par les employeurs de saltimbanques, que ceux-ci ont plus ou moins acceptés.

Dans le secteur du divertissement, la déontologie n'est pas totalement différente : on retrouve des proscriptions semblables, du racisme, par exemple, et de la violence excessive ou gratuite. En outre, il existe un certain consensus : on retrouve des règles semblables dans les lois de certains pays, dans les «cahiers des charges» en France, dans la tradition de la BBC en Grande-Bretagne. Sont condamnés le trucage des jeux, le sensationnel morbide et l'obscénité, l'incitation à l'alcoolisme, etc.

Cependant, la déontologie s'inspire aussi des valeurs propres à la culture environnante. On perçoit les différences en comparant les codes ou les usages. En particulier, dans la réaction de certains pays à la culture de masse occidentale, américaine surtout. En Arabie Saoudite, il est peu de séries hollywoodiennes qui ne relèvent pas de la «pornographie»: la télévision locale montre rarement plus que les mains des femmes.

Les codes étatsuniens. — Aux États-Unis, où la réglementation officielle a toujours été moins stricte qu'en Europe, les codes mis au point par les médias de divertissement évoquent bien souvent des problèmes qui, ailleurs, sont résolus par la loi: temps maximal de publicité dans l'heure, pas de réclame pour l'alcool, ni pour des médicaments, ni (selon le code de la NAB) pour les feux d'artifice, l'astrologie, les paris, et pas de promesses fallacieuses, ni de réclames par de prétendus médecins.

Ce qui suit est un condensé de plusieurs codes étatsuniens, anciens et plutôt archaïques. D'abord, le célèbre code Hays que Hollywood s'est imposé entre les années 30 et 60 sous la pression de groupes catholiques et protestants conservateurs. Il fut un des rares codes à être précis et à être respectés car pourvus d'une sanction réelle[1]. Le second est le code de bonne conduite de la NAB qui fut adopté en 1929, amendé ensuite, puis en 1982 fut déclaré par les tribunaux contraire aux lois antitrust et enfin fut remplacé par une Déclaration de principes en 1990. Il a inspiré les codes particuliers des *networks* ou de nombreuses stations – et surtout bien des usages de l'industrie audiovisuelle. La troisième source utilisée est un code interne de CBS, grand *network* de radiotélévision.

Le code de Hollywood posait en introduction que le cinéma «pouvait être directement responsable du progrès spirituel et moral, de formes plus élevées de la vie sociale et d'une pensée plus correcte». Il expliquait par ailleurs qu'«un divertissement de bon aloi relève le niveau de toute la nation». Et rappelait que le septième art, au contraire des autres (en particulier le livre ou le théâtre), s'adressait à toutes les couches de la population, jeunes et vieux, citadins et ruraux, éduqués et incultes.

---

1. Un film avait grand mal à être distribué s'il ne portait pas le sceau de la MPAA (Motion Picture Association of America) certifiant le respect du code.

Le Code de la radiotélévision américaine. — Le code de la NAB pose qu'il est dans l'intérêt de la télévision d'innover, de stimuler la créativité, de traiter des grands problèmes moraux et sociaux. Elle doit non seulement refléter l'ordre établi mais montrer la dynamique du changement. En conséquence, elle doit présenter une large gamme d'émissions, notamment culturelles et éducatives. Les radiotélédiffuseurs ont une responsabilité particulière envers les enfants.

Le divertissement médiatique doit promouvoir la dignité et la fraternité des hommes, la valeur de la vie humaine, le respect des droits et des sensibilités diverses. Il doit prôner les usages de toute société civilisée. Il doit éviter tous les termes qui incitent au mépris pour cause de race, de religion, de nationalité, de handicap – sauf pour en condamner l'usage. Il ne doit ni attaquer ni ridiculiser la religion et les Églises. Il ne doit pas stimuler les bas instincts. Ni la crédulité : ne pas inciter à croire à la voyance ou à l'astrologie, soit dans une émission, soit en acceptant leur publicité[1].

La télévision doit tenir compte qu'elle pénètre dans les foyers et que son public est familial : la vulgarité, la grossièreté sont à proscrire. On ne présentera pas une fiction comme s'il s'agissait d'événements authentiques[2]. On proscrira l'horreur sans justification, la description détaillée de violences, de tueries, de tortures, de douleurs intenses (notamment quand des animaux les subissent), de tout phénomène surnaturel susceptible de terrifier.

La télévision doit s'informer des besoins et des désirs de la communauté pour mieux la servir. Elle doit prendre en charge les besoins des enfants (éducation, culture, morale), aider au développement de leur personnalité. Elle doit susciter le respect pour les comportements honorables, pour le mariage, le foyer, les parents ; pour les institutions du pays. Elle ne doit pas inciter à utiliser des

---

1. Autrefois, les réclames de charlatans ont contribué à déconsidérer la publicité en France. Pourtant radio et télévision y acceptent toujours les annonces de voyants.
2. Clause due à la panique causée en 1938 par l'émission faite par O. Welles à partir de *La Guerre des mondes* de H. G. Wells.

drogues (y compris les cigarettes). Elle ne présentera pas le suicide comme une solution. Les activités sexuelles doivent être évoquées avec retenue et seulement si le déroulement du récit le requiert. Les vêtements portés, les gestes des acteurs, les angles de caméra ne doivent pas être susceptibles de choquer la décence[1]. Pas de nudité, même en silhouette. Les perversions sexuelles ne doivent pas être évoquées. Toute obscénité est interdite, de même que toute expression vulgaire ou blasphématoire.

La télévision ne doit pas inciter aux jeux d'argent, par des émissions ou par des publicités. Ses jeux à elle doivent être dénués de tout trucage visant à faire gagner une personne plutôt qu'une autre. On ne ridiculisera pas la loi. On ne présentera pas sous un jour sympathique la rapacité, l'égoïsme ou la cruauté. On ne montrera pas le crime comme efficace, justifié ou rentable. On n'abusera pas de l'usage des armes à feu. Les méthodes des criminels ne seront pas expliquées.

III. — Interprétation et application des codes

Ce sont là les deux problèmes à résoudre après qu'un code a été adopté. Ses règles sont toujours vagues, jamais absolues. La déontologie est à deux niveaux : le fondamental et le quotidien. Le rôle des médias dans la société doit être inculqué, discuté, intégré longuement – et puis tous les jours il y a les mille petites décisions que les reporters, ou le rédacteur en chef, doivent prendre rapidement. Aucun code ne peut prévoir tous les cas : il faut souvent faire appel au bon sens ou à un « sens moral » né de la réflexion. Ni l'un ni l'autre, d'ailleurs, ne peuvent échapper à la tradition politico-religieuse du pays, parfois millénaire, comme le tribalisme en Afrique noire ou le féodalisme en Chine.

Quand aux États-Unis, controverse grave, on discute de savoir si le nom des victimes de viol doit être cité, une solution simple serait de demander son avis à la personne concernée. Il est plus difficile parfois de distinguer : entre chanter les attraits

---

1. Par ailleurs, le code interdisait de présenter des mariages biraciaux, de traiter de maladies vénériennes, de présenter des accouchements.

d'une bourgade et cacher ses tares ; entre accompagner une équipe sportive dans un bus loué et accepter l'invitation aux Bahamas d'un fabricant de chaussures de sport ; entre dénoncer la construction d'un nouveau centre de congrès et obéir à l'éditeur qui est partie prenante dans sa construction ; entre respecter les usages de son public et défendre la ségrégation raciale.

Aussi utiles qu'ils soient, les codes requièrent donc un complément : la formation déontologique des journalistes. Les jeunes ont besoin que leur conscience soit éveillée, puis qu'on les entraîne à résoudre les problèmes quotidiens. Ensuite, il leur faut de l'expérience sur le terrain pour interpréter les codes, les adapter à une situation. Le code aide à prendre des décisions dans l'urgence en s'appuyant sur une sagesse collective issue de longs débats. Mais il est possible qu'un professionnel arrive à une décision opposée à celle d'un collègue tout aussi « responsable » que lui.

Ainsi quand, dans une petite ville étatsunienne, est revenue une fillette effroyablement défigurée dans un incendie et qui venait de subir de longs traitements, un journal a publié sa photo, l'autre non. L'un a jugé qu'on devait s'habituer à cette vue afin que la gamine réintègre la communauté. L'autre a préféré ne pas horrifier ses lecteurs.

Ainsi le journaliste, ou plutôt le responsable de la rédaction, doit trancher, sans préjugés idéologiques, quitte à s'attirer les foudres d'une partie du public.

Pour **le texte de codes divers,** on se reportera aux ouvrages suivants :

CFPJ, *Les droits et les devoirs du journaliste : textes essentiels,* Paris, CFPJ, 1992.

Cooper Thomas W. (dir.), *Communication Ethics and Global Change,* New York, Longman, 1989.

Geyer François, *Les codes déontologiques de la presse internationale,* Paris, FIJ et UNESCO, 1975 [polycopié].

International Press Institute, *Press Councils and Press Codes,* Zurich, IPI, 4e éd., 1976.

Juusela Pauli, *Journalistic Codes of Ethics in the CSCE Countries,* Université de Tampere (Finlande), Département de journalisme, 1991.

Pour lire des codes européens sur Internet, utiliser un service de l'Université de Tampere : http ://www.uta.fi/ethicnet/

Chapitre II

LES OMISSIONS

Les codes proscrivent beaucoup et prescrivent peu – sans doute parce qu'il est plus facile de se mettre d'accord sur les fautes à éviter que sur des vertus à pratiquer. Mais une morale négative ne suffit pas. Dans ce chapitre sont présentés des comportements souhaitables[1] qui sont rarement recommandés dans les codes. Ils sont inspirés par les critiques multiples que, sous diverses formes, professionnels et universitaires ont adressées aux médias depuis de longues années.

Se connaître et connaître son domaine. — Le journaliste doit être conscient de ce qu'il est et de ce qu'il n'est pas : homme/femme, blanc/noir, jeune/vieux, etc. Beaucoup des fautes commises viennent de ce que l'on ignore sa propre nature et ses limitations. La déontologie, dans une certaine mesure, pourrait se réduire à une prise de conscience.

Les codes oublient de stigmatiser le journaliste qui se contente de puiser dans le «dossier de presse» fourni par un service de relations publiques. Ils ne lui recommandent pas de travailler son sujet (reportage ou interview) à l'avance, de consulter les archives (banques de données) et de prendre l'avis d'experts.

Sans parler de se préparer pour des situations difficiles comme des actes terroristes. Le terrorisme n'existerait pas sans médias : il vise à en faire des amplificateurs pour la propagande de groupuscules. Faut-il faire le *blackout* sur eux ou se plier aux exigences ? Pas question d'improviser : il faut lire les études, les débats consacrés à ce problème.

1. La substance de ce chapitre a déjà été publiée par moi dans une vingtaine de périodiques en plus de 15 langues : dans toutes les régions du globe, il semble exister un intérêt pour ces problèmes.

La nécessité pour le journaliste de posséder de solides connaissances générales et une spécialité : la Commission Hutchins en avait fait une recommandation majeure. L'incompétence prend des formes diverses : employer des termes sans les définir, utiliser les statistiques de travers, simplifier des questions complexes, présenter des hypothèses comme faits avérés, généraliser à partir de quelques exemples, tirer des conclusions injustifiées. Peu de codes recommandent de posséder des lumières dans des domaines comme la science ou le droit ou l'enseignement ou l'industrie – ou encore en langues pour les correspondants à l'étranger. On regrette parfois la méconnaissance qu'auraient les journalistes de l'économie – mais leurs lacunes peuvent être très diverses : par exemple, politique quand il s'agit d'élections aux États-Unis, militaire et culturelle lors de la guerre du Golfe.

Il y a quelques années, les médias ont donné des informations affolantes sur une épidémie de peste en Inde – en évoquant la peste noire du Moyen Age (25 millions de morts au XIVe siècle) et en oubliant de préciser que (1) la peste est endémique en Inde, et (2) elle est facile à guérir à notre époque. Il y eut moins de 100 morts.

Autre exemple, courant : le traitement des institutions européennes. En 1992, des journalistes ont accusé la Commission européenne (qu'ils croyaient souveraine) d'interdire l'exportation du fromage au lait cru (infime partie de la production française) alors qu'en fait elle annulait les législations étrangères bloquant son importation.

Enfin, les codes omettent de poser comme fondamental que les journalistes maîtrisent leur propre langue et connaissent leur propre culture – ce qui n'est pas toujours le cas en France, même dans la presse écrite de qualité.

Tradition, conservatisme, routine. — Les us et coutumes journalistiques constituent un obstacle majeur à la déontologie. Paresse, insensibilité bureaucratique, manque d'imagination génèrent la routine : on couvre les mêmes secteurs ; on suit les mêmes phénomènes ; on publie les communiqués ; on consulte les mêmes soi-disant spécialistes. On consulte peu des sources excellentes mais obscures : revues spécialisées, experts discrets.

On pratique le «journalisme de meute» : un sujet n'est jugé digne d'intérêt que s'il est traité par une grande agence ou le principal quotidien. Alors, même s'il n'est ni nouveau ni important, c'est la ruée. Pendant un jour, une semaine, ou plus, on ne parle que de ça[1] – et l'on oublie ou néglige bien d'autres sujets plus graves.

Depuis plusieurs années, tous les médias accordent une couverture exceptionnelle au sida – avec émissions et numéros spéciaux. Pas, ou peu, d'articles et d'émissions, en revanche, sur les principales causes (directes et indirectes) de mort en France : l'alcoolisme et le tabac. Si le sida tuait 100 000 personnes par an, qu'entendrait-on dans les médias ? C'est le nombre des morts causés par l'alcool et le tabac. Et si 500 millions d'humains étaient séropositifs ? C'est le nombre de gens affectés par le paludisme, qui tue trois fois plus en Afrique que le sida. Sans parler de la maladie du sommeil[2] et de la tuberculose.

Pensée unique. — Si les médias ne véhiculent que les vues d'un petit groupe sans scrupules, il y a dictature et donc péril extrême : les nazis et les soviétiques l'ont tristement illustré. Même en démocratie, quand les médias privilégient trop une idéologie[3], ou se font excessivement les champions de l'ordre établi, on aboutit à une crise. Les médias commerciaux prônent le conservatisme social et le libéralisme économique. Les médias publics se placent d'ordinaire au service du gouvernement.

Dans les «clubs de presse» nippons, groupes de journalistes accrédités auprès des grands décideurs, on se consulte avant pour ne pas poser de questions embarrassantes et pour tous faire ensuite le même compte rendu : un regrettable effet de la tradition confucéenne. Dans un autre milieu, aux États-Unis, dans les années 50, les médias prêchaient le conformisme d'une majorité blanche conservatrice. Les groupes exclus se sont rebellés dans la décennie suivante, parfois brutale-

---

1. En cas d'attaque individuelle, c'est la curée : aux États-Unis, on évoque la frénésie des requins déclenchée par un goût de sang *(feeding frenzy)*.
2. 200 000 morts par an au Zaïre seulement.
3. Par exemple, en reproduisant sans les vérifier les déclarations de personnages tels que le sénateur Joe McCarthy, grand «chasseur de sorcières» des années 50. Ou en omettant de dénoncer le soutien des États-Unis à tous les régimes fascistes du monde après 1945.

ment : les Noirs, les étudiants, les Hispaniques, les Amérindiens, les consommateurs, les femmes, les écologistes, les homosexuels, les handicapés, etc.

Crainte de la nouveauté. — Un rôle des médias est aussi de stimuler le changement, la créativité, en introduisant des notions, usages ou produits nouveaux. Or, ils ont en général peur des idées neuves, non-conformistes ou extrêmes. Leur commercialisation accrue n'a fait qu'accentuer leur tendance à propager une culture majoritaire, fade et intolérante. Ils ne censurent pas : ils occultent. On entend rarement des voix excentriques capables de fournir des données, des points de vue différents de la norme. Dans les années 60, il était navrant de voir les éditeurs US, si enclins d'ordinaire à invoquer la liberté de presse, qui exhortaient à la répression des journaux de jeunes contestataires. La règle du «politiquement/socialement correct»[1] est bien plus ancienne qu'on ne croit.

Dans le microcosme journalistique, on ne met pas la tradition assez en question[2]. Ainsi on continue à vénérer le «scoop» et le reportage en direct, alors même que tant d'erreurs et de bavures découlent de la précipitation. Plus largement, on discerne plus d'une douzaine d'usages regrettables dont les codes se soucient peu. Les uns relèvent de la sélection de l'information, les autres de sa présentation. En outre, il est des rôles que les médias devraient plus vigoureusement jouer dans la société.

I. — La sélection

En déterminant leur politique de l'information, les dirigeants de médias devraient se soucier, non pas tant de leurs actionnaires, de leurs annonceurs et de leurs sources d'information, mais de leurs clients, tous ceux, individus ou groupes, dont le sort peut être affecté. Cela n'apparaît pas

1. Un maccartisme de gauche pratiqué par des minorités militantes qui vise à empêcher l'usage de mots et concepts jugés (par eux) offensants pour cette minorité.
2. Dans chaque pays, les codes devraient insister sur les défauts nationaux. En France, par exemple, exiger la vérification des données ou la séparation des faits et des opinions.

dans les codes, alors qu'on constate, hors du secteur des médias, une rentabilité accrue des firmes qui ont ce souci.

Traditionnellement, les médias présentent des faits divers et des informations politiques qui, pour une large part, leur sont fournies par des services officiels. Ils évoquent les affaires qui relèvent du consensus ou des oppositions reconnues (gauche/droite par exemple). Et ils occultent les marginaux, ou les ridiculisent : on l'a vu lors de la renaissance du mouvement féministe, dans les années 60 et 70. Les médias devraient viser à donner un panorama *complet* de l'actualité locale, nationale et mondiale, qui bien souvent d'ailleurs consiste en problèmes à résoudre plutôt qu'en actions et accidents.

Occultations. — L'omission est le pire péché des médias. La cause peut en être la nature du média, ou le manque de ressources, ou le refus des propriétaires de faire la dépense nécessaire. Mais l'omission peut avoir d'autres causes. Certains sujets sont peu ou mal traités en raison de préjugés anciens et de tabous, ceux des patrons de médias, ou des annonceurs (qui apprécient peu la défense du consommateurs, par exemple) ou ceux des hommes jeunes et cultivés qui peuplent les salles de rédaction[1], ou ceux de la couche la plus riche du public ou de la majorité de la population. Voici un échantillon de ces angles morts.

En France, les médias n'ont pas enquêté sur le financement des campagnes électorales dans les années 60 à 80. Ni sur la gestion du maire de Nice, ou du président de l'ARC. Ni sur la corruption dans le sport professionnel. Ni sur les stupéfiantes activités du Crédit lyonnais[2]. On a laissé l'extrême-droite exploiter l'irritation des Français devant une immigration africaine grandissante. Les infirmières, les routiers, les enseignants, même les policiers doivent descendre dans la rue pour qu'on s'intéresse à leurs griefs.

Où en Occident parle-t-on du traitement des femmes dans la plupart des pays musulmans (notamment de l'excision en Afrique) ? De l'apartheid ailleurs qu'en Afrique du Sud ? A-t-on dépêché des envoyés spéciaux au Timor entre 1975 et 1995 ? Évo-

---

1. Et qui traitaient peu de viol et de violence conjugale, par exemple, avant que la proportion de femmes dans les salles de rédaction n'augmente.
2. Y compris plusieurs milliards prêtés à un grand groupe de presse.

qué le génocide des Chrétiens et animistes au Soudan ? Aux États-Unis, pendant les quatre ans où les Khmers rouges ont eu le pouvoir au Cambodge et tué plus d'un million d'habitants, la chaîne ABC a consacré à ce pays douze minutes, NBC 18 et CBS 29.

Au Japon, la tradition voulait qu'on ne parle pas de l'empereur, des Coréens, des massacres de Chinois pendant la guerre, des *burakumin* (intouchables) ou des *yakusa* (mafieux). Pour un observateur nippon, ces interdits constituent « un code déontologique inexprimé » mais les choses changent depuis la fin des années 80.

Information et divertissement emmêlés. — Une caractéristique regrettable du débat sur la déontologie, c'est l'omission du divertissement. Ceci est d'autant plus grave que la limite entre information et divertissement se brouille de nos jours. Les médias souffrent d'un manque de hiérarchisation. Ils devraient mieux distinguer entre les nouvelles divertissantes et importantes[1], et privilégier celles qui peuvent affecter la vie d'un groupe social, de la société d'un pays, de l'humanité.

Le 6 mai 1994, *l'International Herald Tribune* a consacré un gros encadré en haut de sa Une aux quelques coups de canne infligés à Singapour à un jeune vandale étatsunien. Or aux États-Unis actuellement, 23 000 personnes sont assassinées chaque année : sur deux ans, autant de morts américains que pendant huit ans de guerre au Vietnam.

Certes, chaque média a besoin de tenir compte de son audience : le public d'élite veut des données utiles mais le public populaire aime les « factoïdes » distrayants. Mais bien des médias mélangent les deux, sans toujours s'en rendre compte. Le divertissement médiatique n'est nullement méprisable. Mais il ne doit pas écarter ou vulgariser la véritable information et prendre une place dominante.

Bien des reproches aux médias d'information (appel aux émotions, surdramatisation de l'actualité ou parfois la publication de pure fiction) relèvent de la fonction divertissante des médias – et devraient être jugés selon des critères différents. Ils sont courants depuis l'invention de

---

1. Alors qu'au début des années 90, c'est l'inverse qui s'est produit. Aux États-Unis, le commercialisme a poussé les quotidiens de qualité au sensationnel, a engendré *reality shows* et documentaires romancés à la télévision.

l'imprimerie ; les gens les apprécient et leur influence est faible car les usagers ne sont pas des imbéciles.

Les journalistes ont du mal à admettre qu'ils sont, pour une part, des amuseurs publics du simple fait que les usagers, «voyeurs d'événements», traitent une grande partie de l'information comme pur divertissement. Et par cela, il ne faut pas seulement entendre les écarts sexuels d'un candidat à la présidence ou un divorce à la cour d'Angleterre – mais aussi les résultats sportifs, une inondation lointaine, un accident d'avion ou une attaque de banque – et même certaines guerres, pourvu qu'elles soient lointaines.

Superficialité et simplisme. — La plupart des médias ne prennent pas en compte la complexité du réel. Ils se croient obligés de faire vite et d'amuser, donc de simplifier. D'où l'abus de stéréotypes, la division en bons et vilains, la réduction des phénomènes à des individus pittoresques, d'un discours à une phrase. Les médias donnent ainsi, de la société et du monde, des images incomplètes, souvent déformées, qui peuvent générer des sentiments et des comportements lamentables.

Les médias présentent le plus souvent une absurde mosaïque de petits événements. Ils devraient «expliquer [...] les mécanismes du monde moderne et rapporter les événements quotidiens au jeu des forces profondes qui déterminent le destin de la société. [...] déceler les signes avant-coureurs de changements fondamentaux dans tous les domaines »[1]. La télévision, en particulier, semble ne s'intéresser à une nouvelle que si elle est accompagnée d'images : il va de soi que pour présenter les processus, les évolutions, on dispose rarement d'illustrations faciles.

Il faudrait que cesse l'agitation frénétique des journalistes qui cherchent à être les premiers plutôt que les meilleurs – au point parfois de fabriquer l'événement. On en a vu les excès lors de la guerre du Golfe. Après avoir exagérément gonflé une affaire (parfois inexistante)[2], ils l'abandonnent pour sauter sur une autre. Peu de codes

---

1. Code du *Journal de Genève*, 1971.
2. Comme (en 1985) la disparition tous les ans de milliers d'enfants aux États-Unis.

requièrent le suivi : autrement dit, une attention aux suites d'un événement dont on a parlé.

Il est très important pour les médias de chercher la réalité sous les apparences. De diverses manières. Les codes ne soulignent pas la nécessité pour le journaliste de rectifier ce qu'affirment les personnes dont il rapporte les propos. Ni de dévoiler les efforts de ses sources[1] pour le manipuler, pour placer sur leur pub ou leur propagande le masque de l'information. Par ailleurs, le journaliste met trop rarement en question un consensus. Entre 1945 et 1990, par exemple, de nombreux incidents ont prouvé que l'Union soviétique n'était pas la formidable forteresse qu'on prétendait – mais les médias se sont tus : trop de gens peut-être trouvaient-ils un intérêt dans la Guerre froide.

Il y a une autre façon pour les médias de dévoiler la réalité derrière l'apparence : c'est de rechercher l'existence de phénomènes graves mais invisibles. On peut pour cela utiliser les méthodes de l'inspecteur de police et du juge d'instruction : c'est le journalisme d'enquête[2]. Aux États-Unis, *l'investigative journalism* d'ordinaire déclenche l'action de la police et aboutit à des procès. Le journaliste devrait aussi utiliser les méthodes des sciences sociales, appliquer la puissance des ordinateurs à l'analyse d'archives ou d'enquêtes, afin de fouiller sous la surface de l'actualité pour identifier des mouvements profonds avant qu'ils n'émergent, sous une forme catastrophique parfois[3]. On pourrait l'intituler «journalisme de forage».

Le verre à demi-vide. — A croire la tradition, une bonne nouvelle n'est pas une nouvelle. Que penser alors de la fin de la guerre en 1945, de la découverte de la pénicilline, du débarquement sur la lune ou de la chute du mur de Berlin ?

---

1. Les trois quarts des informations politiques ou économiques proviennent de sources officielles.
2. En France, il se limite souvent à exploiter des fuites.
3. C'était là un but majeur des techniques réunies dans les années 70 par Philip Meyer (*The New Precision Journalism,* Bloomington, Indiana UP, 2e éd., 1991) pour appliquer la puissance des ordinateurs à l'analyse d'archives ou d'enquêtes.

Les médias mettent l'accent le plus souvent sur la mésentente, le conflit, l'affrontement, le drame, l'échec[1] : ça va mal et ça va empirer. On met en relief les problèmes plutôt que les solutions ; le bizarre et le criminel plutôt que les grandes réalisations. Quand une information ne contient qu'un petit élément négatif, c'est sur lui qu'on bâtit son reportage. A croire que les journalistes se délectent des carambolages, des assassinats, des faillites, des tornades ou des « affaires ». Le cynisme remplace un nécessaire scepticisme : tous les décideurs apparaissent comme des égoïstes incompétents ou rapaces dont le journaliste a pour mission de révéler les ignominies. S'il est bon que la corruption soit dénoncée, il y a un danger pour la démocratie quand toute la vie publique paraît corrompue.

A ne voir toujours que le verre à demi-vide, le citoyen risque d'acquérir une vision déprimante d'une société où il fait pourtant bien meilleur vivre qu'il y a cinquante ou cent ans, en Occident du moins. Et il est découragé d'améliorer son sort et celui de sa communauté.

Information étriquée. — La politique obsède les journalistes. Nul ne peut nier l'importance de la gestion d'une ville, d'un pays, de la planète – surtout pour des médias qui se prétendent Quatrième pouvoir. Mais partout la presse lui accorde une place démesurée. A quoi on peut ajouter que les médias, dont certains désormais travaillent en continu, harcèlent les divers gouvernements au point de gêner sérieusement leurs activités. « Tenter de réaliser des projets à long terme dans ce genre de climat, c'est comme essayer de faire de la recherche médicale dans la salle des urgences d'un hôpital », dit J. Fallows[2].

D'abord, les médias devraient s'occuper davantage des affaires économiques (combien de Français savent que la France a le 4e PIB du monde ?), sociales et scientifiques.

---

1. Rares codes à faire allusion à ce négativisme, celui de feu le journal *La Suisse* : il demandait de manifester un esprit constructif quand on fait des critiques ; et le Radio Code (EU) qui demande des émissions encourageant une bonne adaptation à la vie.
2. Voir James Fallows, *Breaking the News,* New York, Pantheon, 1996.

Comme le notait W. R. Hearst, « les usagers sont d'une intelligence et d'une vertu supérieures à ce que croient bien des journalistes ». Les médias doivent rendre le public plus savant et plus civilisé, « hausser son niveau moral et sa rationalité, préserver la culture du passé et contribuer à l'éclosion de nouvelles formes culturelles »[1]. Ne viser que le plus grand commun dénominateur est contraire à la déontologie car cela va à l'encontre de l'intérêt public.

Les médias doivent en particulier traduire et faire connaître les découvertes et les pensées des savants et autres experts. Quotidiens, *newsmagazines* et documentaires de télévision le font un peu, pas assez. Il appartient aux médias de se comporter, non seulement en messagers, mais aussi en explorateurs et en initiateurs. Aiguiser et diversifier l'appétit est presque aussi important que de fournir de la nourriture.

Pas assez sur les médias. — Autre omission des codes : ils n'appellent pas les médias à rendre compte de leurs propres affaires. Les récentes « pages médias » signalent des publications ou émissions nouvelles, des nominations, des achats et des ventes. Sauf gros scandale, elles informent peu sur les controverses dans l'univers de la presse. Sauf exceptions (le plus souvent de caractère idéologique), on ne se critique pas d'un média à l'autre : on ferme les yeux sur les manquements de collègues. L'autocritique, on ne connaît pas, en France du moins – pas plus que le compte rendu objectif d'un procès dans lequel son propre média a été impliqué. Rarissimes sont les journaux qui publient un « courrier du directeur » informant ses lecteurs. Quand les médias parlent, vaguement, d'eux-mêmes, ils abusent du superlatif et de l'autocongratulation.

Après l'affaire Villemin, P. Lefèvre a eu l'élégance de présenter des excuses publiques à la mère du petit Grégory, mais certains traqueurs ont clamé leur vertu. Les grandes chaînes de télévision ont-elles des programmes

---

1. Selon la NHK, télévision publique japonaise.

où usagers et experts présentent des griefs et où des professionnels leur répondent[1]? A-t-on pensé à faire une émission pour vider l'abcès de la fausse interview de Fidel Castro? *Le Monde* a un médiateur, certes, mais combien de quotidiens consacrent-t-ils régulièrement une section, une page à examiner les reproches et suggestions de leurs lecteurs? Plus généralement, on aimerait que les quotidiens régionaux français comparent leurs services à ceux de leurs homologues espagnols ou italiens, en donnent des explications, en tirent des conséquences.

II. — Le traitement et la présentation

Quiconque veut faire passer une information, qu'il soit pédagogue, conteur ou journaliste, sait que la manière de dire importe autant que ce qu'on dit. Rares sont les codes qui mentionnent le besoin que les articles soient attrayants (concision, style, mise en page, illustrations).

Journaux à dimensions fixes. — Comme toutes les vieilles industries, les médias croient devoir sortir tous les jours un produit de taille semblable, avec quasiment les mêmes ingrédients, quoi qu'il arrive sur le globe. En conséquence, ils sont obligés, selon le jour, de négliger des nouvelles importantes ou d'introduire du rembourrage pour emplir sans déborder la surface ou le temps imparti. En conséquence, ils présentent un compte rendu déformé de l'actualité.

A la fin du XXe siècle, le citoyen peut utiliser des canaux d'information audiovisuelle permanente qui sont devenus courants dans les années 1980 avec CNN. D'autre part, il accède aisément à des banques de données en textes ou images. Mais surtout, grâce à l'ordinateur, il est désormais possible, à partir du matériau façonné par les journalistes, de constituer des «paquets informatifs» en fonction des désirs et des besoins de chaque abonné – ces paquets variant par la taille selon l'abondance des infor-

---

1. C'était le cas en 1996 des deux chaînes publiques de la télévision australiennes.

mations et étant distribués en des temps, en des lieux, et par des voies très diverses.

Les pseudo-informations. — Trop de « nouvelles » sont fabriquées par ceux qui en profitent : la plupart ont l'avantage d'être préparées bien à l'avance et d'être conditionnées pour usage par les médias. La réclame déguisée en information est facile à repérer dans la presse écrite, et aussi le battage autour de certains livres et spectacles dans les journaux télévisés ou les émissions de variétés. Moins visible est le communiqué ou la vidéo fourni par les attachés de presse et publié sans modification. Sans parler de l'article composé par un journaliste après qu'on lui a offert une croisière ou quelque autre faveur.

Assez différent, le rapport sur un pseudo-événement mis en scène pour attirer les médias : conférence de presse présidentielle ou manifestation de rue, par exemple. Enfin, il y a les événements fabriqués par les médias eux-mêmes : mini-scandale gonflé par de soi-disant « journalistes d'enquête » ou harcèlement de célébrités par des *paparazzi*. Il n'est pas exclu que des nouvelles de ce genre aient une importance, mais elles ont besoin d'être filtrées et étiquetées. Les usagers doivent en connaître source et nature.

Informations incompréhensibles. — « Les nouvelles » souvent ne consistent qu'en une accumulation de petits événements. Or, la tâche d'informer ne se borne pas à déverser des données brutes. Il faut permettre à l'homme de la rue de comprendre et d'évaluer : donner un contexte structuré où la nouvelle prend sa place, fournir des points de vue divers, donner des avis de spécialistes. Cela est indispensable dans le cas de statistiques, de sondages, de déclarations de décideurs – qui doivent être comparés avec d'autres données, provenant du passé[1] ou d'autres secteurs.

Les gens ordinaires ne sont pas stupides, mais beaucoup sont sous-éduqués et ne sont pas professionnelle-

1. Pour D. Boorstin, les journalistes semblent « enfermés dans le présent », d'où un manque de recul et d'évaluation.

ment obligés à se tenir informés. Ils ont du mal à saisir l'«actualité» parce que bien des mots et concepts que les médias utilisent leur sont inconnus[1]. Aussi trouvent-ils les journaux ennuyeux, surtout ceux de la presse écrite. Et même s'ils sont intéressés, la plupart des citoyens ont besoin, pour comprendre, qu'on leur explique les origines d'un événement, son environnement, son sens et ses conséquences possibles.

Cette carence des journalistes a des causes diverses : ancienne habitude de s'adresser à une élite, de tenir donc pour acquise une vaste connaissance du monde ; le manque de temps, source de simplisme et de stéréotypes ; une formation insuffisante ; la négligence. Ou encore, à la radio et la télévision, le souci de l'audimat.

Information ennuyeuse. — Bien des informations publiées n'ont aucune utilité (accidents, meurtres passionnels, visites de dignitaires). Mais, hélas, les informations utiles sont souvent peu intéressantes. Or, si l'on veut que la société fonctionne bien, il faut que tous ses membres aient une idée juste de leur milieu, proche et lointain. Qu'ils y soient naturellement enclins ou non, ils ont le *devoir* d'être informés. S'ils n'y sont pas enclins, alors il faut capter leur attention[2], en démontrant, par exemple, l'effet que des événements peuvent avoir sur leur vie personnelle. La réalisation n'est pas facile : rendre séduisante l'information importante exige effort, temps et savoir-faire.

A l'inverse, on peut montrer que certaines nouvelles qui semblent n'être qu'intéressantes sont importantes. Par exemple : un homme massacre une douzaine de personnes dans un train de banlieue. Séduisant fait divers avec du sang, des cris et des larmes – mais que dit-il sur la société environnante ? Sur le chômage, la misère,

---

1. Un sondage de 1995 en Pologne montre que 42 % des gens comprennent mal les JT. Réaction des journalistes : comment travailler avec ces analphabètes ».
2. W. R. Hearst disait déjà à ses directeurs « Récompensez le reporter qui sait rendre la vérité intéressante ».

le racisme, l'alcoolisme, le manque de surveillance psychiatrique, l'obtention facile d'armes automatiques ?

Esprit de clocher. — Une tradition facilement explicable, mais regrettable, consiste, aux quatre coins du globe, à s'occuper avant tout de l'actualité locale et régionale. Il est stupéfiant de comparer l'énorme proportion de publicité dans les quotidiens étatsuniens (60 à 70 % de la surface) à la toute petite part d'information mondiale (2 %). Déconcertant aussi de voir en France ces quotidiens régionaux réduits à un faisceau de bulletins municipaux avec quelques pages pour les affaires nationales et internationales[1]. De cela les codes de la presse ne disent rien. Pourtant, le grand public, qu'il en ait ou non conscience, a besoin d'informations sur l'état de la planète entière et sur l'évolution qui a mené à cette situation.

Le nombre des correspondants envoyés à l'étranger baisse gravement : ils sont remplacés par des « envoyés spéciaux » parachutés, et donc ignorants. Il serait donc souhaitable que les médias de tous les pays publient des articles ou émettent des émissions les uns des autres – à l'instar du *Courrier International* (1991), hebdomadaire composé d'articles traduits de la presse du monde entier. En Australie, par exemple, la chaîne SBS présente tous les matins des JT et régulièrement des reportages, documentaires et films venant du monde entier. Par la même occasion, les médias pourraient emprunter des idées et des techniques nouvelles à l'étranger. Après tout, ils doivent servir la connaissance et la compréhension mutuelles, la paix, le bonheur de l'humanité.

III. — Le bien-être de la société

Protéger les humbles. — Un économiste note qu'il n'y a pas de famines dans les pays démocratiques à presse (relativement) libre. Les médias peuvent faire beaucoup pour les consommateurs/citoyens. Mais il existe une différence de traitement regrettable que peu de codes évoquent : comme

---

1. Le contraste est frappant avec les régionaux italiens et espagnols, qui disposent de ressources semblables.

l'exprimait La Fontaine : « Selon que vous serez puissant ou misérable... » La liberté de presse et de parole ne devrait être ni le privilège d'une élite[1], ni celui de la majorité. On doit entendre aussi les marginaux, les excentriques, les « empêcheurs de magouiller en rond ». Car ils ont parfois raison. Or, quand le gouvernement veut faire taire des contestataires, les grands médias ont tendance à se placer discrètement du côté du plus fort. En France comme au Japon, ce ne sont pas eux le plus souvent qui révèlent les graves abus de pouvoir, mais de petits magazines ou hebdomadaires comme *Bungei Shunju* ou *Le Canard enchaîné*.

Il ne s'agit pas de tomber dans la démagogie populiste. Il est vrai que les médias cèdent trop souvent à la pression de la majorité ou de certains groupes organisés (comme les champions de la *« political correctness »* aux États-Unis ou les agriculteurs en France). Mais quand la Commission Hutchins recommandait que tous les groupes dans la population soient servis, elle pensait tout simplement aux gens ordinaires, dont les médias se soucient peu alors même qu'ils sont « le peuple ».

Les codes mentionnent rarement le préjugé favorable des journalistes vis-à-vis des puissants : leurs sources et les pairs des patrons de presse. Les usagers le perçoivent comme une collusion entre les pouvoirs. Aux journalistes français notamment, les correspondants étrangers reprochent une trop grande intimité avec les décideurs de la politique et de l'économie.

« Journalisme civique ». — Le code de déontologie de l'APME[2], rédigé en 1974 et révisé en 1994, est un des rares à faire la recommandation suivante :

« Le journal devrait faire la critique constructive de tous les secteurs de la société [...] Dans ses éditoriaux, il devrait se faire le champion de réformes nécessaires et d'innovations servant l'inté-

---

1. L'élite du journalisme croit faire partie de *l'Establishment* et adopte ses soucis. Aucun code ne met en garde contre les effets de la vedettarisation.
2. L'Associated Press Managing Editors, association qui réunit les directeurs de rédaction des journaux membres de l'agence Associated Press.

rêt public. [...] Il devrait offrir un forum pour l'expression de commentaires et de critiques, en particulier quand ces critiques vont à l'encontre des positions proclamées dans les éditoriaux. »

Au début des années 90, ces idées ont donné naissance, aux États-Unis, à un nouveau style de journalisme, très controversé, qu'on appelle le «*public* (ou *civic*) *journalism*». On l'a inventé pour lutter contre la baisse de la diffusion et de la crédibilité des médias. Au pire, il relève des «relations publiques» et de la prostitution. Au mieux, cela rappelle utilement que lès médias sont avant tout au service des usagers, non des actionnaires, des annonceurs et des responsables politiques. Ils devraient, non pas présenter l'actualité comme un spectacle, mais informer de manière à encourager la discussion de questions graves, avec la participation de groupes minoritaires en tous genres, même ceux que la majorité trouve répugnants. Avoir pour but d'exciter la pensée et l'imagination de chaque citoyen au sujet de son environnement ; de stimuler en lui un désir de participer à la gestion des affaires publiques. Tout en restant indépendants, les médias, au lieu de se faire seulement les champions de leur ville ou région, au lieu de rester toujours dans une fade prudence, doivent découvrir et signaler ce qui ne va pas – et aussi découvrir des solutions aux problèmes et aider les usagers à les mettre en œuvre – même si cela va à l'encontre des idées reçues et des intérêts établis.

IV. — Le secteur du divertissement

La tradition veut qu'on sépare le journaliste et le «saltimbanque». De nos jours en fait, le journalisme se fait plus attrayant, racoleur parfois, tandis que se créent des chaînes de télévision documentaires, historiques, éducatives – et sportives. Le sport se situe tout entier à la fois dans l'information et le divertissement. Les codes n'en parlent pas directement – mais bien des clauses lui sont applicables : objectivité, équité (pas de chauvinisme), pas de corruption, ni d'encouragement à la violence, etc.

De même, on trouve dans les codes journalistiques la condamnation indirecte de fautes commises par les médias de divertissement : publicité clandestine à la télévision ou corruption de présentateur de disques ; ravages du copinage ou profits excessifs d'animateurs qui s'installent comme producteurs. Mais les reproches les plus graves qu'on leur fait sont d'un autre ordre et sont rarement évoqués par les codes : stupidité, vulgarité, brutalité, indifférence intellectuelle et esthétique, distorsion de la réalité, immoralité fondamentale.

Médiocrité esthétique. — Les médias commerciaux font peu d'efforts pour innover, pour promouvoir les formes élaborées de la création : littérature, musique dite classique ou arts plastiques. La médiocrité en devient même technique, comme dans les dessins animés japonais. Pour servir bien le public, les médias ont le devoir de former le goût, de cultiver. Mais leur gigantesque débit leur interdit une haute qualité moyenne. On accuse ce divertissement d'être fabriqué en série par des mercenaires et sélectionné par des bureaucrates obsédés par les ventes ou les indices d'écoute.

Vide intellectuel. — On reproche aux commerciaux, en particulier, leur réticence à se mettre au service de la pensée. Ils débitent le fameux «chewing-gum pour les yeux». Même la radiotélévision étatique fait peu, sauf exceptions comme la BBC et surtout la NHK japonaise, ou la récente Cinquième en France. On inculque une brève capacité d'attention, l'ignorance du passé, l'impatience. A la limite, on cultive l'imbécillité en présentant sérieusement astrologie[1] et phénomènes «paranormaux». Dans presque toutes les régions du globe, les médias ont négligé leur rôle éducatif : c'est peut-être la plus nette violation de leur responsabilité sociale.

Médiocrité morale. — Les médias visent non à former des citoyens (comme les écoles) ou des croyants (comme

---

1. Le 1er janvier 1994, en fin de journal à 22 h 30, une chaîne publique française a demandé à un astrologue, présent sur le plateau, ses prévisions pour l'année à venir.

les Églises) mais à fabriquer des consommateurs. Aussi le bonheur est-il associé à la consommation, aux signes extérieurs de réussite. Les valeurs : égoïsme, cupidité, conformisme. Chacun recherche argent, célébrité ou remède facile. Tous les problèmes politiques, économiques et sociaux se réduisent à des affaires d'individus. Ceux-ci se divisent en gentils et méchants ; et leurs rapports se fondent sur la force, les conflits étant d'ordinaire résolus par la bagarre. Et l'ordre est rétabli. Ainsi, divertissement médiatique et publicité suscitent chez l'usager tout à la fois angoisse et réconfort, insatisfaction et évasion – et, au bout du compte, frustration et apathie.

Les personnages de la télévision sont stéréotypés, avec tendance au racisme et au sexisme. Corps et visages féminins abondent mais il y a peu de beaux rôles de femmes. Comme au cinéma, certaines catégories se trouvent sous-représentées : enfants, vieux, intellectuels, ouvriers, pauvres. Dans sa publicité et ses programmes, la télévision donne une vision du monde simpliste, et inexacte : il est à la fois embelli (les personnages de fiction, par exemple, vivent souvent très au-dessus de leurs moyens) et rendu bien plus vil et violent que nature. Dans les vidéos musicales, les hommes ont souvent l'air de voyous et les femmes de traînées : comment cela sera-t-il perçu par des adolescents immatures[1] ? De même, l'avenir dépeint par le cinéma est sombre, fermé, barbare *(Terminator, Robocop)* alors même que notre monde est bien moins misérable et dangereux qu'il ne l'était naguère (Crise de 1929, massacres staliniens et nazis, Guerre froide). On donne ainsi une idée fausse et désespérante de la société[2].

La violence est partout, dans la fiction et les dessins animés comme dans les journaux télévisés[3] – alors que les

---

1. Danger notamment pour les jeunes des banlieues et ghettos en mal de modèles.
2. Voir M. Medved, *Hollywood vs. America,* New York, Harper Collins, 1993.
3. Les enfants aux États-Unis ont assisté à 8 000 meurtres avant de quitter l'école primaire.

longs métrages «familiaux» gagnent régulièrement plus d'argent que les films d'horreur et de tuerie[1]. Alors que d'innombrables études indiquent des liens entre violence médiatique et violence réelle. On imagine que, aux États-Unis du moins, la violence télévisée excite autant que le sexe mais importune moins.

Isolationnisme. — Enfin, pas un code n'y fait même allusion : il est nécessaire au bien public que chaque pays présente les produits médiatiques des autres pour faire connaître leurs cultures et stimuler la sienne par hybridation. Il paraît contraire à la déontologie que les grandes «chaînes» des États-Unis ne présentent en soirée que 2% d'émissions importées (la plupart de Grande-Bretagne). Plus généralement, la richesse culturelle est mise en cause par le protectionnisme des médias étasuniens qui privent leurs usagers de contact avec d'autres cultures ; ainsi que par le *dumping*[2] culturel qu'ils pratiquent dans le reste du globe, et qui a pour effet d'éroder la créativité régionale. Ainsi, à la fois la culture des États-Unis et celle d'autres pays s'appauvrissent. Mais voit-on beaucoup d'émissions italiennes, espagnoles ou japonaises, sur le petit écran français ? Beaucoup d'émissions européennes sur les «étranges lucarnes» nippones ? Dans la mesure où le public est ainsi mal servi, isolationnisme et expansionnisme médiatique relèvent de la déontologie.

V. — **Problèmes de publicité**

Dans la mesure où les médias en reçoivent une large part de leurs revenus ou la totalité de leurs revenus, la publicité ne peut qu'influer sur leur comportement. Dans bien des pays les publicitaires se sont donné un code et des organismes d'autocontrôle parfois bien plus stricts que ceux des médias, mais les médias doivent également s'en préoccuper.

---

1. En 1994, le *Roi Lion* a encaissé bien davantage que *Pulp Fiction*.
2. Au sens où leurs émissions de télévision, une fois amorties sur le marché intérieur, sont vendues à l'étranger à une fraction du prix qu'il en coûterait pour fabriquer localement une émission équivalente.

Parfois, dans les pays occidentaux, les médias délèguent certains de ces soucis déontologiques à des organismes extérieurs. Une clause comme «Les médias ont le droit de vérifier les données dans les publicités»[1] est moins justifiée quand existe un Bureau de vérification de la publicité, comme en France. Cela étant, le média doit s'occuper lui-même de ne pas laisser, par exemple, le fabricant d'un produit interdit lui faire indirectement de la publicité par le biais d'une réclame pour un autre de ses produits[2].

Des problèmes plus graves se posent. Quand, en 1983, la chaîne ABC a programmé *The Day After* qui montrait les États-Unis au lendemain d'une guerre nucléaire, quasiment aucun annonceur n'a accepté d'y placer ses spots. Et c'est pire quand un produit particulier est mis en cause. Et le boycottage génère l'autocensure. Celui, par exemple, de vendeurs de voitures après qu'un quotidien local a publié une liste de conseils aux acheteurs de véhicules. Plus grave: dès les années 30, aux États-Unis, étaient publiés des rapports officiels associant l'usage du tabac à des maladies mortelles. Pourtant, jusqu'aux années 60, les médias ont gardé le silence sur les dangers de la cigarette. Encore en 1990, aux États-Unis, une firme qui désirait faire une campagne pour ses produits anti-tabac a essuyé le refus des plus grands magazines.

Fondamentalement, il paraît immoral (au sens de «contraire au service public») à bon nombre d'usagers que plus des deux tiers de la surface des quotidiens états-uniens soient consacrés à la réclame, que les émissions de télévision soient interrompues toutes les dix minutes par des chapelets de publicité.

1. Dans le code de la Fédération des journalistes arabes (1972).
2. Dans le code NAB de la télévision.

TROISIÈME PARTIE

LA PRATIQUE

Chapitre I

LES M*A*R*S MOYENS D'ASSURER LA RESPONSABILITÉ SOCIALE DES MÉDIAS

La déontologie pose un problème majeur : trouver pour la faire respecter des moyens acceptables, c'est-à-dire non-étatiques. Comment amener un être humain à se bien comporter ? On peut envisager que s'exercent sur lui trois types de pression. Sa perversité entraîne que, dans l'intérêt de ses semblables, il doit être soumis à une pression physique externe. Sa noblesse fait qu'il est sensible à la valeur de certains principes et donc à une pression morale interne. Son ambivalence amène à espérer qu'une pression morale externe suffise ; c'est-à-dire celle qu'exercent des règles d'éthique professionnelle dont la violation par un individu lui vaut la réprobation de ses pairs et le mépris des usagers.

En matière de presse, pendant des siècles, seules furent utilisées les deux premières de ces trois disciplines. Le journaliste vertueux obéissait à sa conscience ; le folliculaire sans scrupule avait à craindre la maréchaussée et les magistrats. En cette fin du XXe siècle, il devient indispensable de faire appel à la troisième discipline si l'on veut une presse libre et démocratique. En effet, la conscience individuelle suffit moins que jamais depuis que les médias ont tourné à la grosse industrie. Quant à la loi, les tribunaux et la police, ils sont suspects pour avoir trop été utilisés à bâillonner les informateurs.

D'où le concept de M*A*R*S que j'ai formulé au début des années 90. Un M*A*R*S, c'est tout moyen non étatique utilisé pour rendre les médias responsables envers le public. Le concept est global, et donc un peu vague. Il comprend aussi bien des individus ou des groupes que des réunions régulières, des documents écrits, de petits médias ou encore un long processus ou une approche particulière. Normalement, les M*A*R*S n'agissent que par pression morale. Mais leur action peut se trouver renforcée par l'autorité des dirigeants de média ou par des dispositions légales préexistantes.

En France, si « parler » d'éthique est à la mode depuis 1991, il est rarement question de « faire » quelque chose. Il est très regrettable que les journalistes qui écrivent des livres sur la déontologie écartent *a priori* tout moyen de la faire respecter. Depuis des années, la plupart des gens de presse occultent ou repoussent tout M*A*R*S en prétendant qu'il s'agit d'une menace sur la liberté de presse, les droits de l'homme, la démocratie. L'un en arrive à déclarer qu'«un encadrement déontologique serait totalitaire». D'autres se mettent en fureur devant la simple éventualité d'un code de conduite. Aussi le présent chapitre est-il pur anathème pour bien des professionnels, qu'ils soient européens ou étatsuniens.

I. — Les acteurs

Quand on entreprend de contrôler la qualité des services rendus au public par les médias, il faut s'assurer d'abord que les médias se donnent pour objectif de servir le public prioritairement. Puis il faut s'enquérir des besoins et désirs du public. Enfin, il faut vérifier qu'ils sont satisfaits. Les trois protagonistes (patrons, professionnels et usagers) peuvent se consacrer à ce contrôle de façons diverses, ensemble ou séparément. L'État n'a pas à y participer[1], sauf sous la forme de menaces qui sont parfois nécessaires pour déclencher le processus d'auto-régulation.

Les patrons de médias. — On pourrait imaginer qu'ils organisent leur propre contrôle de qualité, mais il existe peu d'exemples d'industries qui, sans pressions extérieures, se soient même dotées d'un code d'honneur, sans parler d'en tenir compte. En situation de monopole, la prospérité endort la conscience. En situation de concurrence, il suffit de quelques individus sans scrupules qui refusent toute déontologie pour obliger les autres à faire de même.

Les directeurs de rédaction. — De toute évidence, le moyen le plus simple, le moins cher, le plus efficace de faire respecter un code est de confier ce soin à la direction de la rédaction. C'est facile quand le code fait partie du contrat d'engagement : la sanction (réprimande, placard, suspension, renvoi) est alors rapide, voire immédiate, et sans appel.

Mais si la direction agit seule, les inconvénients sont nombreux. Les cadres de la rédaction occupent une position ambiguë : ils sont journalistes mais aussi, dans une large mesure, agents d'exécution du propriétaire. Pour autant que la direction se soucie d'abord de rentabilité, elle ne saurait être chargée de la déontologie. Elle peut être tentée d'occulter une faute quand celle-ci satisfait ses intérêts. Ce peut être elle, d'ailleurs, qui y a incité son employé. En cas de scandale public, le journaliste devient bouc émissaire. Et le code peut servir à se débarrasser d'employés qui déplaisent.

Les journalistes. — Ils sont, bien entendu, les principaux intéressés. C'est eux qui peuvent le plus gagner à l'amélioration de la qualité des médias et eux que le plus souvent on rend responsables de leur médiocrité. Le code de la RTNDA (1966)[2] conclut par : « Les journalistes de

---

1. La participation des législateurs n'est pas recommandable, mais elle existe dans quelques pays (Conseil de presse en Inde) sans causer de dommage.
2. Association US des directeurs de l'information (radio et télévision).

radio et de télévision condamneront activement et s'efforceront d'empêcher la violation de ces normes – et ils en encourageront activement leur respect par tous les journalistes.» En réalité, les syndicats et associations se dotent souvent de commissions de discipline, mais ils répugnent toujours à sanctionner.

Le code de la Fédération des journalistes arabes (1972) demande que les professionnels dénoncent les collègues qui se comportent mal. Cela «ne se fait pas» mais la loyauté est-elle de mise en cas de violation très grave de la déontologie (bidonnage systématique, chantage, travail pour un service de renseignements)?

En théorie, l'association volontaire de journalistes et de patrons pour dicter à la presse un comportement socialement responsable serait une solution efficace et simple, mais la confiance du public risquerait d'être faible. L'expérience montre que toute corporation privilégie la défense de ses intérêts et néglige l'autocritique.

Les usagers. — On les oublie trop souvent quand on parle de déontologie. Eux-mêmes, hélas, se croient impuissants devant les médias (sauf à faire un procès auquel ils ne tiennent pas s'il existe une autre solution pour se faire entendre). Peuvent-ils agir seuls? Un jour peut-être les associations de consommateurs se soucieront enfin des médias, comme elles s'occupent de la qualité des yaourts ou des services bancaires. On peut aussi imaginer que des citoyens-militants s'associent et que, avec le concours d'experts en communication, ils fassent l'analyse critique des contenus des médias, recueillent les plaintes du public et statuent sur elles. Mais on peut s'attendre que les professionnels, à leur habitude, rejettent leurs griefs. Et il est trop aisé pour eux d'ôter aux critiques leur seule arme : la publication de leurs activités.

Donc l'association des professionnels et des usagers paraît le plus souvent indispensable. Les professionnels savent le mieux comment améliorer les médias, et ont de bonnes raisons de le vouloir mais ils sont trop faibles devant les forces politiques et surtout économiques. Ils ont besoin de l'appui des masses d'usagers, électeurs et consommateurs.

Historique. — Tous les M*A*R*S dont il va être question existent. Ils ont été expérimentés et ont donné satisfaction. Beaucoup ont été conçus et mis en œuvre aux États-Unis. Dans ce pays, la commercialisation des médias est pire qu'ailleurs, et on y craint plus qu'ailleurs toute réglementation étatique.

L'intérêt pour les M*A*R*S y est resté faible jusqu'à la fin des années 60. Un seuil d'exaspération fut alors passé. Plusieurs événements symboliques se produisirent. En 1967, l'apparition de conseils de presse locaux et d'un premier médiateur dans un quotidien ; à partir de 1968, une floraison de revues critiques ; puis, en 1971 et 1973, la création d'un conseil régional (dans le Minnesota) et d'un conseil national. Ces innovations signalaient deux conversions : les propriétaires admettaient que leurs employés avaient voix au chapitre et les journalistes admettaient que le public avait son mot à dire.

On s'est beaucoup intéressé au «conseil de presse» au tournant des années 70 quand l'Unesco, l'International Press Institute, le Conseil de l'Europe et, outre-Atlantique, le 20th Century Fund et la Mellett Foundation, ont organisé colloques ou expériences. Il y eut alors un flot de rapports, d'articles, de livres sur le sujet. Mais si le conseil est potentiellement le M*A*R*S le plus efficace parce qu'il réunit les trois protagonistes des médias – il est loin d'être le seul.

II. — **Les moyens**

La formation. — C'est la solution à long terme de la plupart des problèmes de qualité : l'éducation des usagers aux médias et la formation universitaire des professionnels. Une formation des journalistes à l'ancienne, sur le tas, pratique mais myope, est devenue dangereusement insuffisante. L'université peut leur donner *a)* une culture générale, *b)* des connaissances particulières dans un secteur, et *c)* une conscience déontologique. En France, ces deux dernières tâches sont également assurées par des écoles spécialisées de haut niveau. Ainsi le journaliste peut être rendu compétent et responsable, donc respecté et autonome.

L'évaluation. — La plus vieille méthode pour améliorer les médias, la plus facile, la plus banale – c'est la critique, négative et positive. Elle vient, bien sûr, des hommes politiques, dirigeants d'industrie, représentants des minorités, défenseurs du consommateur, écologistes et intellectuels – mais elle doit venir aussi de deux autres groupes. D'abord, les professionnels de médias, dont la crédibilité est la plus forte sur ce plan. Et ensuite les communicologues.

L'observation systématique *(monitoring)*. — Elle est nécessaire, de nos jours, du fait que les produits médiatiques sont extrêmement nombreux et que beaucoup sont éphémères. Du fait aussi que les fautes des médias relèvent souvent de l'omission, difficile à repérer. Seuls des experts indépendants, universitaires, peuvent se livrer à une étude prolongée des médias, à une analyse approfondie des contenus, à une recherche de leurs effets.

La rétroaction *(feed-back)*. — Comment servir bien la société si l'on n'écoute pas les griefs des divers groupes d'usagers et des membres des autres institutions sociales? Des études ont montré le fréquent décalage entre les goûts des usagers et l'idée que s'en font les dirigeants de médias. Ces derniers ont besoin d'être informés. Regarder les courbes de vente et les parts d'audience ne suffit pas. Un moyen consiste à engager des journalistes qui diffèrent de la norme (femmes, minorités ethniques). Cela peut d'ailleurs aider à résoudre un autre problème, l'accès des minorités aux médias pour publier leurs nouvelles et leurs opinions.

Dans la pratique, un M*A*R*S donné peut conjuguer plusieurs de ces approches: un mensuel comme *l'American Journalism Review*[1] critique, observe, donne la parole aux usagers et renseigne les journalistes. Ce qui suit est un catalogue (non exhaustif) des M*A*R*S, répartis selon leur nature.

1. Maintenant publiée par la faculté de journalisme de la University of Maryland, à qui en 1987, un homme d'affaires a donné un million de dollars pour aider la *JR*.

1. **Documents écrits ou radiotélévisés.**

Encadrés de correction. — Ce moyen peut paraître négligeable : il ne l'est pas. D'abord, il a le rare avantage de ne rien coûter. Ensuite, il combat une tare de la presse : sa répugnance à admettre ses erreurs. Par ce M*A*R*S, pourvu qu'il soit bien visible, elle signale qu'elle ne se prétend plus infaillible. Elle améliore ainsi sa crédibilité (contrairement à ce qu'on a longtemps cru dans la profession) et la confiance du public.

Si nécessaire, le bref *mea culpa* peut devenir une longue et dure étude comme celle du spécialiste des médias au *Los Angeles Times*, pour expliquer pourquoi son journal avait omis de traiter de deux graves événements locaux.

« Courrier des lecteurs ». — Une fonction majeure des médias est de fournir un « forum ». En démocratie, tous les groupes doivent pouvoir s'exprimer. Et pas seulement par le biais d'institutions (associations, syndicats, etc.). D'où l'intérêt de ce M*A*R*S. Aux États-Unis, il s'est beaucoup développé dans les années 70, jusqu'à occuper plus d'une page quotidienne à la droite des éditoriaux. C'est une des rubriques le plus lues, d'ailleurs. Des stations de radio et de télévision aussi consacrent du temps au courrier et aux « libres opinions ». Et les médias de plus en plus utilisent une messagerie télématique pour permettre une rétroaction immédiate des usagers. Certains publient les adresses électroniques de leur personnel.

Commentaires contradictoires. — Toujours pour assurer sa fonction de forum, surtout quand un média a un monopole local, il est bon qu'il publie des points de vue opposés sur les questions importantes. Dès sa naissance (1982), le quotidien national *USA Today* a publié tous les jours plusieurs « libres opinions » contraires à ses éditoriaux.

Publicités d'opinion. — Il arrive aux États-Unis qu'un groupe idéologique ou une firme (comme Mobil Oil) achète des pages de périodiques pour y dénoncer certains abus des médias. Un ancien assistant du Président Reagan a acheté deux pages du *Washington Post* pour y contester la version donnée par ce quotidien de la mort de son frère.

Questionnaires d'exactitude et d'équité. — Ils sont postés de temps en temps aux personnes mentionnées dans le journal[1] ou publiés à destination de tous les lecteurs. Ont-ils remarqué des erreurs factuelles ou des signes de partialité? Sous cette deuxième forme, ce M*A*R*S aussi coûte peu et on s'étonne qu'il soit si peu utilisé.

Circulaires internes. — Les dirigeants d'une rédaction doivent se comporter en pédagogues, rappeler à l'occasion les principes du journalisme et les règles de la maison. Même une forte tradition non écrite fondée par un grand patron et qui lui survit, comme celle de H. Beuve-Méry au *Monde,* a parfois besoin d'être rappelée.

Code de déontologie. — Un code endossé après discussion par les professionnels est un M*A*R*S dans la mesure seulement où il est connu. Sa seule existence exerce alors une pression morale. Aux États-Unis, où une majorité de journaux se sont donné une «charte rédactionnelle», certains la publient à intervalles.

En 1994, la Fédération des journalistes russes s'est donnée un code: ceux qui le signent reçoivent une carte professionnelle du syndicat (contresignée par le président de la FIJ) qui lui procure divers avantages (accès à l'information, assurances).

Sections/pages sur les médias. — Outre des informations, elles doivent inclure des critiques. On en trouve dans les journaux sérieux et des revues de qualité. Il peut s'agir également d'émissions régulières de radio et de télévision, telle *Mediawatch*, étrillage hebdomadaire sur la chaîne ABC (Australie) ou encore *Inside Story* (1981-1985) produit aux États-Unis par PBS, le serveur des stations «publiques».

Revues critiques. — Ces *journalism reviews (JR)*, locales ou nationales, sont consacrées à la critique des médias du pays ou d'une ville, au repérage de leurs distorsions et

---

1. Comme le *Seattle Times* ou encore le quotidien *Globo* à Rio de Janeiro.

omissions et à la publication d'informations occultées[1]. En France, *Le Canard enchaîné* entrerait presque dans cette catégorie.

La plus célèbre revue fut fondée par un Département de journalisme (*Columbia JR*, 1961) – mais la pionnière (*In Fact* de G. Seldes, 1940-1950) et les revues de la haute époque (1968-1975) comme la *Chicago JR* furent l'œuvre de journalistes exaspérés. Peu ont survécu, faute de moyens, de public et d'animateurs. Dans les années 90, beaucoup sont politiquement marquées, à gauche (*Extra!* 1986) et surtout à droite *(Media Monitor)*. Des revues apparaissaient sur Internet, telle *BONG!* (1988), une cyber-JR.

Ce que ces revues ont montré, c'est que certains journalistes au moins ne sont plus des salariés soumis : ils contestent publiquement. Cette attitude nouvelle s'est répandue. Les revues de syndicats ont toujours été agressives, mais celles des associations le sont devenues. Même les revues savantes n'hésitent plus à dénoncer des manquements.

Une des initiatives appréciées de la revue *[MORE]* (1971-1978) avait été de créer le prix Liebling. La critique en effet devrait aussi être positive – et prendre la forme de récompenses. Compliments, promotion, augmentation, prix locaux ou nationaux. Qui douterait de leur valeur doit penser à ces lettres de compliments qu'un des patrons de Hollywood avait encadrées pour les mettre aux murs de son bureau.

Rapports et livres critiques. — Des rapports élaborés par des commissions d'experts, à l'initiative d'associations (comme MTT)[2] ou de services officiels (comme le Sénat), parfois à l'occasion d'une crise, révèlent les manquements des médias et suggèrent des améliorations. Ce que font aussi des livres écrits par des professionnels (comme A. Woodrow)[3] ou des observateurs (comme M. Schudson ou A. Minc)[4].

---

1. En ce sens, bien des publications « alternatives » (écologiques par ex.) sont des *JR*.
2. Association française d'usagers de la télévision, fondée en 1990, qui émane de la Ligue de l'enseignement et l'Union nationale des associations familiales.
3. *Information Manipulation,* Paris, Editions du Félin, 1991.
4. *The Power of News,* Harvard UP, 1995 ; *Le Média-choc,* Paris, Grasset, 1992.

Films et émissions. — Des longs métrages (*Absence of Malice,* 1981) présentent l'univers des médias sans indulgence, ainsi que des séries télévisées (*Lou Grant,* 1977-1982 ou *Murphy Brown,* 1988-). Et parfois des émissions (comme les *Guignols* de Canal Plus) satirisent les médias.

Petits médias contestataires. — Organes de partis, journaux parallèles, *talk shows* politiques, stations FM associatives, canaux loués sur le câble aussi font connaître ce qui autrement risquerait d'être dissimulé. De même, dans les régimes autoritaires, les *samizdat* (textes diffusés sous le manteau) informent et stigmatisent implicitement les médias ordinaires – de même que les radios clandestines ou périphériques, les télévisions par satellite, les audio- et vidéocassettes.

La radiotélévision publique. — Un M*A*R*S ? Oui pour autant qu'elle se voue au service public et que, par sa simple existence, elle constitue une critique de la radiotélévision commerciale : pas d'interruption publicitaire toutes les dix minutes, ni de divertissement racoleur, ni d'informations filtrées par les multinationales pourvoyeuses de publicité. Elle engendre une véritable concurrence dont les effets peuvent être remarquables : la radiotélévision au Japon et en Grande-Bretagne en présente une excellente illustration.

2. Individus ou groupes.

Instances de régulation. — Dans la mesure où ces commissions étatiques ne reçoivent pas d'ordres du gouvernement et qu'elles ont pour but premier de protéger le public, on est tenté de les assimiler à des M*A*R*S. Dans ses rappels à l'ordre et ses rapports, le CSA dénonce les erreurs de la radiotélévision, les trucages, le sensationnalisme, etc. Les commissions reçoivent des plaintes, un peu à la manière d'un conseil de presse. Toutefois, ces instances, telle la FCC aux États-Unis, font respecter des principes édictés par un parlement. Elles se situent donc en marge de la déontologie.

En France, la Commission de la carte d'identité des journalistes (créée par la loi de 1935) est indépendante. Sans être un Ordre, elle est stricte sur le respect de certaines règles, mais elle n'aurait pas les moyens de mener des enquêtes si elle désirait le faire.

Le chroniqueur spécialisé. — Les médias ont toujours tendance à faire silence sur leurs affaires. Pourtant, maintenant qu'ils constituent un des systèmes nerveux du corps social, le public a besoin d'être informé sur eux. Il faut donc que des journalistes se spécialisent dans ce secteur pour en couvrir l'actualité et pour se livrer à des enquêtes sans complaisance. David Shaw, du *Los Angeles Times,* est l'un des chroniqueurs le plus réputés[1] : ses longs rapports (sur le journalisme sportif ou les relations entre presse et police) se situent à mi-chemin des articles de JR et des travaux universitaires.

Critiques internes. — Aux États-Unis, certains journaux se sont pourvus d'un *in-house critic.* Les Japonais, eux, ont des *shinshashitsu* depuis 1922. Ces « commissions d'évaluation des contenus » se trouvent dans tous les quotidiens importants[2]. Une équipe de journalistes scrute tous les jours son journal en quête de violations du code et elle fait un rapport. Parfois, elle s'occupe aussi du « courrier des lecteurs » et reçoit leurs plaintes. C'est, appliqué à la presse, le fameux « contrôle de qualité » qui a fait la réputation des produits nippons.

Conseillers en déontologie. — On s'attend que les critiques internes contribuent à l'éducation déontologique du personnel. Peuvent également le faire des « comités d'éthique » composés de journalistes qui réfléchissent aux problèmes déontologiques, donnent leur avis sur les cas au fur et à mesure qu'ils se posent, organisent des ateliers et, si nécessaire, rédigent un code. Il existe aussi des « conseils de rédaction » composés de représentants de la direction et des journalistes. A eux de mettre au courant les nouveaux embauchés. Un journal peut aussi s'attacher, par périodes, les services d'un expert extérieur *(ethics coach),* comme l'a fait le *Philadelphia Inquirer.*

Le médiateur. — Le plus souvent, cette charge est assumée par un journaliste d'expérience qui est employé par

1. En 1991, il a reçu le premier prix Pulitzer attribué pour la critique des médias.
2. Ainsi que dans les agences et au syndicat des éditeurs de quotidiens.

un journal, comme *Le Monde*, par une station de radiotélévision ou même par un vaste organisme comme Radio Canada. Il est nécessaire qu'il soit respecté par ses pairs et qu'il n'ait rien à craindre ou à espérer de la hiérarchie. Son rôle est d'écouter les usagers mécontents, de faire une enquête et, dans les cas importants, de publier ses conclusions dans une chronique hebdomadaire. Il ouvre une porte au public, lui prouve qu'on est prêt à écouter ses critiques. Ses avantages sur les conseils de presse : la facilité d'accès et la réaction rapide. La difficulté : s'il veut rester efficace, il ne doit apparaître ni comme un avocat du journal ni comme un porte-parole des usagers. Lui aussi sert de guide en déontologie.

Le premier « ombudsman » fut nommé par le *Louisville Courier-Journal* en 1967[1]. En fait, le premier date sans doute de 1913, quand Pulitzer créa un Bureau d'exactitude et d'équité pour recevoir les plaintes adressées au *World*, son quotidien de New York.

R. Chandler, éditeur très respecté aux États-Unis, a suggéré en 1989 un M*A*R*S assez semblable : un comité d'arbitrage mis en place par un média menacé d'un procès en diffamation, qui se composerait d'experts extérieurs et dont l'avis sur l'affaire serait publié.

Les comités de liaison. — Aux États-Unis, les premiers ont été des *« free press/fair trial committees »* réunissant journalistes et hommes de loi pour les aider à comprendre leurs exigences respectives et pour écarter le risque d'une muselière officielle, comme celle qui a été imposée à la presse britannique sous prétexte de garantir des procès équitables. En France, dans les années 70, des syndicats de journalistes, de magistrats et de police avaient mis en place un comité de ce genre. Une telle liaison devrait être recherchée avec tout groupe avec lequel les journalistes risquent d'avoir des heurts au dam de l'intérêt public (police, immigrés, etc.). Et aussi avec des organisations contestataires (parents, féministes, etc.).

---

1. L'ombudsman de presse suédois, nommé en 1969, est attaché au conseil de presse et non à un média.

Le conseil de presse local. — Ce terme désigne des réunions régulières (trimestrielles, par exemple) de membres représentatifs d'une localité avec des responsables de la presse du cru – à l'initiative parfois d'un directeur de médias[1], parfois d'une institution extérieure (école de journalisme, association d'usagers). Les usagers ont ainsi la possibilité d'exprimer leurs griefs et leurs désirs, mais aussi d'apprendre comment fonctionne le média et ainsi de devenir plus tolérants.

Pendant des années, le *Journal-Star* de Peoria (Illinois) a demandé à une ménagère dans chacune de ses 21 zones de distribution d'interroger, au hasard, des habitants de son quartier sur les qualités et défauts du quotidien. Lors d'un déjeuner mensuel, les membres de ce conseil original faisaient un rapport dont le résumé était publié sur une ou deux pages.

Assez semblable est le «jury d'usagers», consistant en une douzaine d'usagers choisis comme représentatifs de son «marché», que le média interroge, une fois ou régulièrement, sur ce qu'ils pensent de lui. Ils sont payés pour chaque session et leurs débats sont stimulés par un animateur.

Le conseil de presse national, ou régional. — Il est le M*A*R*S le plus connu car il est présent dans toutes les démocraties nordiques, germaniques et anglo-saxonnes, ainsi que dans des pays aussi divers que l'Inde, le Chili, Israël et l'Estonie.

L'idée fut suédoise à l'origine (1916). Elle resurgit en 1928 dans un rapport de l'International Labor Organization, puis dans un projet de Cour d'honneur conçu par la Fédération internationale des journalistes en 1931. La Commission Hutchins reprit l'idée d'un conseil national en 1947. Et, en 1953, la Grande-Bretagne mit en place son Press Council qui allait devenir un modèle.

Il y a autant de formules de conseils qu'il y a de conseils. Au Canada, par exemple, en raison de la taille

---

1. Il est arrivé qu'un journal (comme le *Press-Herald* de Portland, États-Unis), poussant plus loin, nomme des citoyens à son conseil d'administration.

du pays, on les a créés à l'échelon de la province. Ils diffèrent par les circonstances de leur création, les initiateurs, le nombre des membres, les procédures, le budget, leurs pouvoirs, etc. Pour simplifier, on peut les catégoriser comme suit.

Une mise en garde d'abord : il existe de pseudo-conseils comprenant des représentants du gouvernement, ou même présidés par le ministre de l'Information : leur mission est de museler la presse. Il existe aussi de semi-conseils : eux sont handicapés par l'absence de personnes extérieures aux médias. Au mieux, ils ont été mis en place conjointement par les patrons de presse et les journalistes, comme en Allemagne et en Autriche. Plus souvent, ils représentent un seul groupe, les éditeurs au Danemark, les journalistes en Suisse.

Les vrais conseils, de nos jours, sont normalement composés d'usagers pour un tiers ou même la moitié. Idéalement, ils devraient utiliser tous les moyens pour améliorer la presse. Ou du moins, selon la constitution de feu le Press Council britannique : préserver la liberté de la presse et intervenir si nécessaire auprès du gouvernement ; examiner les plaintes d'usagers ; surveiller les évolutions susceptibles de limiter l'information, telle une plus grande concentration des entreprises de presse ; publier des rapports réguliers sur le travail du conseil et des statistiques sur l'état de la presse. D'autres y ajoutent un intérêt pour l'enseignement du journalisme et la recherche.

Hélas, jusqu'à présent, les conseils n'ont d'ordinaire poursuivi que deux missions : 1 / aider la presse dans son combat contre l'adversaire traditionnel de sa liberté, le gouvernement ; et 2 / inciter la presse à rendre des comptes au public. Et ils se limitent souvent à la seconde. Il faut souligner qu'un conseil n'a aucun pouvoir de sanction : les médias participants s'engagent seulement à publier ses jugements.

Un conseil devrait être capable de prendre des initiatives, et donc il devrait assurer une observation systématique des médias. Le Conseil de presse britannique a pourtant toujours refusé de le faire, alors que ce *monitoring* était pratiqué par l'Advertising Standards Authority, mis en place en 1978 par les publicitaires pour appliquer leur code, et qui reçoit également des plaintes. Une explication réside sans doute dans le manque de moyens. Un conseil entame le pouvoir des patrons : on ne peut donc compter qu'ils soient très généreux. Idéalement, l'argent devrait venir de sources très nombreuses : organisations internationales publiques et privées, agences gouvernementales, fondations, syndicats, universités et firmes commerciales extérieures aux médias.

Les ONG liées aux médias. — Des opérations de « contrôle de qualité », occasionnelles ou régulières, sont exécutées par des groupes liés aux médias, comme les syndicats (tel le Syndicat national des journalistes, SNJ, en France), des associations corporatives ou des ONG (tel Reporters sans frontières) ; ou encore par des fondations indépendantes, comme celles que des magnats de la presse ont créées outre-Atlantique pour financer enseignement, recherche et autres modes d'amélioration (tel le Freedom Forum)[1]. Dans les années 60 et 70, ces groupes ont joué un grand rôle dans la création ou la survie de M*A*R*S.

L'association de citoyens/de militants. — Il peut s'agir de mouvements de grande intolérance ou à visées étroites qui publient la liste des émissions qu'ils désapprouvent et les noms des annonceurs qui les financent (tactique parfois efficace). Au mieux, il s'agit d'associations d'usagers, utilisant réunions de sensibilisation, campagnes de lettres, sondages d'opinion, évaluations systématiques, appel aux législateurs, plaintes auprès des organismes de régulation, procès et, elles aussi, des boycottages.

Aux États-Unis, Action for Children's Television (1968) a obtenu de remarquables succès au bénéfice des enfants. En France, MTT en 1996 a réuni à Paris, sous l'égide de l'Unesco, des représentants d'organisations de téléspectateurs d'Europe et du Canada. Dans un pays tout différent, le Niger, une association groupe des radio-clubs qui organisent l'écoute collective et envoient critiques et suggestions.

---

1. Il se trouve qu'en France aucune fondation de ce genre n'a été créée par des groupes comme Havas, Hachette ou TF1.

Le conseil de discipline. — Il peut être constitué au sein d'un ordre (comme l'Ordine dei Giornalisti italien), d'une association corporative (comme l'ASNE) ou, le plus souvent en Europe, d'un syndicat de journalistes. L'expérience montre qu'il est toujours discret et rarement sévère : il a tendance à trouver des excuses à ses membres.

La « société de rédacteurs ». — Une association de professionnels qui, d'ordinaire, possède des actions de la firme pour laquelle ils travaillent, s'efforce d'avoir son mot à dire dans l'élaboration de la politique rédactionnelle[1]. A Radio-France, il existe une société active en période de crise. Ce M*A*R*S est rare. Il est plus rare encore que le personnel possède entièrement son média[2].

La « société d'usagers ». — Rare aussi, c'est une association de citoyens qui acquiert des actions d'un média et demande à avoir son mot à dire dans la politique générale de l'entreprise – comme la « société des lecteurs » du *Monde*. Un cas très remarquable : celui des réseaux câblés du Manitoba où les usagers l'ont emporté sur de grosses firmes qui anticipaient des millions de dollars de profit. Ils ont obtenu que le comité de direction de chaque réseau soit élu tous les ans dans chaque communauté.

L'observatoire des médias. — Il observe le comportement des médias et publie les manquements qu'il remarque. S'il arrive qu'il soit scientifique, la plupart sont militants, surtout aux États-Unis. De gauche (Project Censored)[3] et, plus couramment, de droite, généralistes ou spécialisés, ils s'efforcent dans leurs publications de prouver que les médias déforment l'information, polluent les esprits.

3. Processus.

L'éducation universitaire. — Un journaliste formé sur le tas ou dans une école strictement technique risque de

---

1. La première à attirer l'attention fut celle du *Monde* en 1951.
2. Comme la plupart des journaux de Slovénie à la suite de la privatisation post-communiste.
3. Depuis 1976, un jury de critiques des médias établit chaque année une liste des « Dix informations le mieux occultées » que publie Sonoma State University (Californie).

n'être qu'un plumitif, traité d'emblée comme polyvalent, soumis à sa hiérarchie et aux notables – trop soucieux de ses intérêts et trop peu de déontologie.

Cela est apparu clairement dans les années 90 en Afrique noire comme dans les pays de l'Europe de l'Est. La nouvelle génération de journalistes qui a remplacé à l'improviste la *nomenklatura* d'un régime dictatorial, est souvent incompétente en journalisme et en éthique.

De nos jours, environ les trois quarts des jeunes journalistes français ou étatsuniens ont fait des études de journalisme à l'université – et l'hostilité réciproque des gens de médias et des universitaires s'est atténué. L'université est plus indépendante que les autres institutions, vis-à-vis des gouvernements comme des milieux d'affaires. En plus de ses experts, de ses inspirations, elle peut donc fournir une base d'action pour de nombreux M*A*R*S.

Ce qui manque aux universités, ce sont les fonds. Les firmes médiatiques devraient partout encourager financièrement la formation des professionnels comme elles le font aux États-Unis: dons aux écoles, bourses de formation continue, financement de la recherche.

La formation continue. — Les journalistes ont besoin d'améliorer leur compétence dans une spécialité et de prendre parfois du champ pour réfléchir à leur métier. Ceci peut se faire par une année, ou un semestre, sabbatique en université[1]; ou par des séminaires d'une semaine.

Des ateliers d'une journée (soit au sein des journaux[2], soit à l'extérieur) sont organisés par des associations professionnelles, des écoles de journalisme, des ONG. De caractère pratique (étude de cas, jeux de rôle), elles accentuent la prise de conscience par les journalistes de leurs responsabilités et leur fournissent des guides de comportement envers sources, employeurs et usagers.

Les médias à l'école. — La part de leur existence que les gens consacrent aux médias justifie qu'ils connaissent

---

1. Comme le centre des *Journalism Fellowships,* financé par un don du magnat Knight, qui accueille une vingtaine de journalistes tous les ans à l'Université Stanford.
2. Aux États-Unis, les deux tiers en font (*Newspaper Research Journal,* hiver 1992).

les médias et sachent les utiliser à leur avantage. Tous les enfants ont besoin de recevoir un enseignement sur les structures des médias, leurs contenus, leurs effets, et d'apprendre comment les consommer – et même comment les faire (journaux de collège et même radios d'école).

Consultations avec les usagers. — Aux États-Unis au début des années 90, la mode était aux sessions d'écoute *(reader call-in nights)* : certains soirs les cadres de la rédaction se tenaient à la disposition téléphonique des usagers. Variante : au journal, pendant la pause déjeuner, des journalistes s'entretiennent avec un invité sur ses activités dans la communauté.

Plus couramment, des rencontres entre professionnels et usagers peuvent se dérouler dans quelque club de la presse. Ou encore le média organise des «réunions municipales» *(town meetings)* où les journalistes s'enquièrent auprès des habitants de leurs soucis, de ce qu'ils attendent de la presse locale. Puis ils les aident à se mobiliser et à résoudre leurs problèmes *(civic journalism*, p. 77).

Les études d'opinion. — La radio, très tôt commerciale, a eu besoin de prouver son audience aux annonceurs – comme ensuite la télévision. Jusqu'aux années 60, la presse écrite s'est contentée de faire vérifier sa diffusion. La concurrence étant plus forte désormais, tous les médias veulent connaître la stratification démographique de leur public et les opinions/besoins/désirs de chaque couche afin de pouvoir mieux la capter et la vendre à des annonceurs particuliers.

La motivation est commerciale, mais l'effet est celui d'un M*A*R*S. A l'instar du pionnier Lazarsfeld, on oppose souvent recherche «administrative» (au service des médias) et recherche «critique» (au service du public). En fait, les deux ne s'excluent pas.

L'audit déontologique. — Un média a besoin de faire vérifier son niveau éthique. Quel est son taux d'erreurs ? Ses règles internes sont-elles connues, comprises, appliquées par le personnel ? Que pense son public de ses services ? Ses contacts avec lui sont-ils suffisants, efficaces ? Que pourrait-on faire pour améliorer la situation ? Un simple contrôle peut modifier les comportements.

La recherche à but non lucratif. — Elle est menée par les universités, par divers instituts (comme l'Observatoire européen de l'audiovisuel, à Strasbourg, depuis 1992) et, aux États-Unis, par des *think tanks,* centres de réflexion et de recherche financés par des fondations. Tous emploient des experts aptes à mener des études longues et approfondies, notamment des études empiriques fournissant des données chiffrées. La critique des médias ne peut plus se contenter d'exemples pris au hasard et d'anecdotes. Le débat sur la déontologie elle-même se fait trop souvent à coups de rhétorique : accusations vagues et réponses impressionnistes. On a besoin de chiffres tirés d'analyses de contenus et de non-contenus, d'études d'audience, de comparaisons historiques.

Ces études sont particulièrement nécessaires pour (1) percevoir les occultations et distorsions prolongées que commettent les médias, fautes le plus influentes parce que le grand public ne les remarque pas. Et pour (2) évaluer les effets de l'activité des médias dans une société, surtout à long terme. Donc pour suggérer des comportements meilleurs.

III. — Ce qui a été fait en Europe[1]

Beaucoup de médias se sont-ils individuellement donnés un code ? Non, dans neuf pays sur dix. Toutefois, dans deux tiers des pays il existe un code assez généralement reconnu. D'où vient-il ? Le plus souvent, des syndicats de journalistes, parfois associés avec les éditeurs (Norvège, Suède). Dans deux cas (Allemagne, Autriche), le code vient du conseil de presse, lui-même créé par les syndicats de journalistes et d'éditeurs.

Partout les syndicats ont traité de déontologie dans des livres ou dans leurs propres périodiques, organisé des congrès et des séminaires, nommé des comités d'éthique. Ils ont parfois colla-

1. Résultats d'une enquête menée par moi dans 17 pays d'Europe en 1993-1994.

boré à la création d'un conseil de presse (Suède, Norvège, Autriche, Allemagne, Pays-Bas) ou l'ont créé eux-mêmes (Suisse).

Pour faire respecter les règles, plus de la moitié des pays ont un conseil national. Sept n'en ont pas, qui sont tous situés dans le sud[1], sauf l'Irlande et la Belgique. De nos jours, là où il existe un conseil de presse, il a tendance à élargir son recrutement et/ou ses fonctions. Les Britanniques, néanmoins, ont au contraire rétréci la composition et la mission du leur. Conseils régionaux et locaux n'ont encore, semble-t-il, fait leur apparition nulle part[2].

Les médiateurs sont presque aussi rares. Sept pays seulement (sur 17) en ont un ou plus : la Suisse, la Grande-Bretagne, l'Irlande, l'Espagne, l'Italie, la Suède et la France. Une vingtaine[3] dans une région du globe qui compte environ 1 500 quotidiens, plus de 5 000 stations de radio et quelque 900 organes de télévision – sans parler des milliers de magazines. Mais certains des meilleurs journaux du continent en ont un *(Le Monde, The Guardian, El Pais, La Repubblica)*.

Et les autres M*A*R*S ? Les médias corrigent-ils tous très clairement leurs erreurs ? Réponse quasi unanime : NON. La plupart des médias écrits le font, mais discrètement, sauf en Finlande. Y a-t-il des critiques internes ? Ils sont inconnus partout. Des *media reporters* alors ? On en trouve quelques-uns dans plus de la moitié des 17 pays : en Grande-Bretagne, tous les quotidiens et dominicaux de qualité en ont un, une innovation. Dans plus des deux tiers des pays, il n'existe pas de revue critique. En revanche, dans autant de pays, la critique fait l'objet d'émissions sur les antennes de service public.

Les journaux n'utilisent jamais des «questionnaires d'exactitude et d'équité». Dans la moitié des pays, des médias imprimés font faire des enquêtes afin de découvrir ce que leurs clients pensent de leurs services – mais ils ne le font ni souvent ni régulièrement. Le «courrier des lecteurs»? En France, il ne s'est développé que récemment. Mais partout en Europe, la plupart des journaux et magazines ont une rubrique. Néanmoins, les lettres choisies sont rarement critiques envers le journal.

Et le M*A*R*S le moins dangereux et le plus efficace, mais le plus lent, l'éducation ? La proportion de journalistes ayant fait

---

1. Le Portugal en a eu un cependant de 1975 à 1990.
2. Mais il n'est pas impossible que de tels comités de liaison existent discrètement sous d'autres noms – comme le «cercle de lecteurs» utilisé par le *Journal de Genève/Gazette de Lausanne.*
3. Sans compter la Suisse : la quarantaine de nouvelles radios privées en ont chacune un, mais c'est la loi qui leur en fait obligation.

des études supérieures apparaît de façon très précise (Finlande 82 %, France 69 %, Italie 44 %) ou sous forme d'estimations très vagues. De 20 à 50 % aux Pays-Bas, de 20 à 80 % en Espagne, de 40 à 75 % en Suède. Quant à ceux qui ont suivi un enseignement en journalisme, les estimations tournent autour de 25 % sauf pour l'Autriche et l'Allemagne (moins de 5 %) et pour la Suède, le Danemark et l'Espagne (70-80 %). Tendance très positive : presque partout, on estime que 70 à 100 % des journalistes débutant aujourd'hui possèdent un diplôme universitaire. Dans plus de la moitié des pays, les journalistes peuvent bénéficier d'une formation continue.

Bizarrement, dans les trois quarts des pays européens les associations nationales de consommateurs ne semblent jamais traiter les produits médiatiques. Ne peut-on analyser la violence à la télévision comme on analyse les nitrates dans l'eau du robinet ? Existe-t-il des associations de consommateurs de *médias*? Oui dans plus de la moitié des pays. Elles s'occupent presque exclusivement de télévision.

L'actionnariat des journalistes se trouve dans 10 des 17 pays européens, mais ne concerne d'ordinaire qu'une ou deux publications. Personne en Europe n'a entendu parler de citoyens qui achètent des actions pour avoir voix au chapitre.

Chapitre II

CRITIQUES ET OBSTACLES

La déontologie s'est développée au sein de systèmes vastes et complexes, médias et société humaine – ce que les médiologues marxistes ont eu le mérite de souligner. Aussi doit-elle subir des critiques multiples et contradictoires, affronter des obstacles d'autant plus redoutables que certains relèvent du mythe. D'où son relatif sous-développement.

I. — Les critiques

Critiques faites des codes. — On dit parfois que le code d'un média peut être utilisé contre lui devant un tribunal. C'est arrivé en Côte-d'Ivoire ; c'est prévu par le code allemand. Aux États-Unis, les avocats des journaux déconseillent à leurs clients de se donner un code : on y craint la manie procédurière de l'usager, et notamment les procès en diffamation.

En fait, le code contribue à convaincre les jurés de la bonne foi du média. D'ailleurs, les grands groupes ont les moyens de faire traîner les procès jusqu'à les gagner ou faire abandonner le plaignant. Les codes, et autres M*A*R*S, eux, permettent aux humbles de se faire entendre des médias.

Autre accusation courante : les codes, simples textes, menacent la liberté de presse. On pourrait y voir une réaction hystérique ou bien une tactique[1] destinée à garantir qu'aucune restriction, même morale, ne sera

---

1. Par exemple, les protestations contre le projet de code promu par le Conseil de l'Europe en 1994.

mise à la liberté de gagner de l'argent. Mais, dans les années 90, les parlements scandinaves envisageaient[1] de convertir le code établi par les professionnels en une loi, réglant ainsi le problème de l'application des règles : c'est là une très regrettable tendance.

Reproche sérieux : les codes ne font qu'une liste de prohibitions vagues et de vœux pieux. Qui a des souvenirs de téléspectateur aux États-Unis[2], croit rêver en lisant le code de la NAB (ex. « Les émissions doivent contribuer au développement sain et équilibré des enfants »). De même, si l'on compare les codes des journalistes d'URSS à ce qu'était la réalité soviétique, on est partagé entre le rire et les larmes.

Dans certains codes, on trouve des phrases dénuées de sens ou de justification : « Le rôle du journaliste est de dire la vérité » : mais qu'est-ce que la vérité ? Quid des trillions de faits vrais qui, à juste titre, ne sont jamais rapportés ? « Le public a le droit de connaître la vérité » : un droit fondé sur quoi ? Ou encore « le public a droit à l'information » : le droit à une photo de l'ex-femme du Président Kennedy nue sur une plage grecque ?

Par ailleurs, les codes semblent refléter la vision du monde qu'ont les journalistes, c'est-à-dire surtout des hommes, diplômés d'université, citadins, pourvus (dans les pays développés) d'assez bons revenus. Et les femmes, les pauvres, les minorités ethniques ? C'est encore plus net en dehors de l'Occident : en Inde, les journalistes sont occidentalisés, et souvent de haute caste ; en Corée, 5 % seulement sont des femmes.

De toute façon, à quoi sert un code s'il « n'a pas de dents » ? Quand des associations corporatives ou des syndicats prévoient des sanctions (comme l'expulsion), elles sont rarement appliquées. Et à quoi sert un code s'il ne prend pas en compte les rapports de pouvoir ? Il est des chartes qui prévoient que le journaliste ne doit pas accepter de tâches contraires à l'éthique. L'individu trouvera cette

---

1. En 1996, aucun des pays nordiques n'était passé à l'acte, sauf le Danemark.
2. Voir *Les médias aux États-Unis,* Paris, PUF, « Que sais-je ? », n° 1593, 1995, p. 95-116.

prescription dangereuse à respecter, surtout en période de crise. Il semble indispensable que les journalistes fassent blinder leurs codes : en obtenant de participer à la gestion éditoriale de leur publication, en faisant inclure le code dans les contrats collectifs, ou encore en faisant légaliser des clauses de code dans un statut professionnel[1].

Critiques de droite et de gauche. — Aux deux extrêmes du spectre politique on est opposé à la liberté de presse. Naturellement, on méprise la déontologie (et ses moyens d'application), inventions ridicules de démocrates naïfs. Pour protéger soit « la nation », soit « le peuple », on juge nécessaire de contrôler les médias soit par la force des polices, soit en les possédant tous.

Les disciples de Marx, de l'École de Francfort, du mouvement culturel-critique, semblent considérer les usagers comme des pantins manipulés par une poignée de milliardaires. Ceux-ci, qui possèdent la plupart des médias ou bien leur distribuent la majorité de leur publicité, peuvent leur dicter des comportements. La crédibilité de ces critiques souffre de ce que, avant 1991 du moins, ils ont toujours oublié de stigmatiser le plus répandu des régimes de presse non capitalistes : le soviétique.

Au contraire, chez les ultralibéraux, où l'on se passerait volontiers de toute loi ou règlement concernant les médias, on présente la déontologie comme un complot communiste contre la liberté de parole et la liberté d'entreprise. Le journaliste a le droit d'être irresponsable : seule sa conscience peut le guider. Si un média ne sert pas le public, le marché l'éliminera.

Critiques des réalistes et des cyniques. — Le réel est trop complexe, les situations trop différentes pour qu'on puisse faire de règles générales, ou qu'on prévoie tous les

---

1. En France par exemple, la fameuse « clause de conscience » (loi de 1935, art. 29) autorise un journaliste à quitter une rédaction sans perdre son droit à l'indemnité de licenciement si un changement dans le journal l'empêche, en conscience, d'y poursuivre sa collaboration (Code du travail).

cas : le code est forcément trop vague – tandis que la jurisprudence d'un Conseil de presse, au bout de quelques
années, est trop énorme. Le journaliste pressé ne peut pas
aller consulter le code quand une décision est à prendre.
D'ailleurs, les journalistes ne s'accordent pas entre eux
sur ce qui doit être fait. Quelle conduite adopter quand
on est pris entre deux clauses contradictoires ?

L'application des règles exige que des gens s'y consacrent systématiquement. Les usagers, eux, ne sont pas
organisés, se croient impuissants, connaissent mal le
milieu. Le patron de médias a autre chose à faire : avant
tout gérer et développer son entreprise. C'est pourquoi les
grands médias peuvent être plus déontologiques que les
petits : ils sont plus riches et indépendants à la fois de leur
public et de leurs annonceurs.

Quant au journaliste, il n'a pas pour seul objectif de
servir l'usager : naturellement, il recherche aussi influence,
célébrité, promotion, fortune. Dans les démocraties pauvres comme l'Inde ou la Russie, la plupart des journalistes ne peuvent se soucier de déontologie : ils ont trop à
faire pour garder leur emploi et gagner un peu d'argent,
ou beaucoup s'ils ont accès à la corruption. Dans bien des
pays d'Amérique latine, la plupart des journalistes ne
pourraient joindre les deux bouts sans prendre un
deuxième (sinon un troisième) emploi, souvent avec un
annonceur ou avec une source potentielle d'information.
Même en Europe occidentale, afin de prospérer (ou survivre) dans la profession, on doit rendre des services,
céder aux pressions : il faut le talent de J.-F. Kahn pour se
permettre de tirer sa révérence en cas de conflit.

Critiques des patrons de médias. — Quelques-uns res-
sentent une responsabilité envers le public. D'autres se
sont rendu compte que le contrôle de qualité paie. Toutefois pour beaucoup, la loi suffit bien. Tout M*A*R*S est un
attentat au droit de propriété : charbonnier est maître
chez lui. S'il se trouve qu'un usager n'aime pas ce qu'on
lui sert, il lui suffit de changer de journal ou de canal.
Quand ces patrons approuvent un M*A*R*S, c'est dans un
souci de « relations publiques ».

Il n'est pas impossible que le manque d'enthousiasme de ces dirigeants de médias, privés ou gouvernementaux, soit dû à ce qu'ils reconnaissent dans les M*A*R*S le signe d'une évolution : un lent mouvement vers une participation des producteurs et des consommateurs (les journalistes et le public) dans le contrôle des médias.

Critiques des professionnels. — Aujourd'hui, les journalistes n'adoptent pas une attitude uniforme : ils peuvent être totalement indifférents à la déontologie ou hypersensibles. Quand, en 1994, l'APME (voir p. 77) a demandé à ses membres ce qu'ils pensaient de la version étoffée, précisée et durcie de son code de 1975, 39 % étaient pour, 36 % totalement contre. Certains adversaires, notamment de vieux journalistes, voient dans l'autorégulation un simple maquillage destiné à donner bonne mine aux médias, à abuser le public. Ou encore ils y voient une pente savonneuse menant à la censure étatique.

Les vedettes, les 100 ou 200 journalistes qui en France dominent la scène, par les relations qu'ils ont avec les grands décideurs, se jugent au-dessus de ces problèmes. Ils exploitent leur situation pour l'argent (beaucoup d'argent) ou l'influence – et ils proclament que la conscience suffit bien pour guider le professionnel.

II. — Les obstacles

La déontologie, ou contrôle de qualité, n'est pas une solution simple et globale à tous les problèmes des médias : c'est le moins qu'on puisse dire. Si c'était une facile panacée, on verrait des M*A*R*S partout. En fait, il y en a peu qui opèrent aujourd'hui. Dans le seul pays où ils ont presque tous existé, les États-Unis, bon nombre d'entre eux n'ont pas survécu et la plupart ne se sont pas multipliés. En 1996, il y avait une trentaine d'ombudsmen aux États-Unis pour 1 600 quotidiens, 7 500 hebdomadaires, 12 000 stations de radio et 1 500 de télévision, 2 000 magazines grand public. Et pourtant ils avaient donné satisfaction.

Ce sous-développement est dû aux grandes résistances

auxquelles les M*A*R*S se sont heurtés. Dans aucune profession, on n'apprécie la nouveauté, surtout quand elle met en question des pouvoirs et des prestiges. Parmi les obstacles au contrôle de qualité : l'incompréhension ou l'ignorance mais aussi, plus grave, la nature de l'homme ou celle des M*A*R*S.

1. Objections injustifiées.

La menace de récupération étatique. — On entend souvent, surtout aux États-Unis, exprimer la crainte que l'État/le gouvernement utilisera les systèmes d'autocontrôle pour limiter la liberté d'expression. Par exemple, il transformera un conseil de presse en tribunal d'exception. Pourtant, cette crainte n'a jamais été justifiée, même en Inde où le Conseil a été mis en place par la loi[1].

Inutilité. — Certains soulignent que les « bons » médias n'ont pas besoin qu'on leur applique un contrôle de qualité : leur personnel l'a toujours pratiqué. Quant aux « mauvais » médias, ils ne l'accepteront pas : ils ne se donneront pas de M*A*R*S internes et refuseront toute institution extérieure[2]. Ce n'est pas faux, mais la plupart des médias et la plupart des journalistes ne sont ni tout bons, ni tout mauvais – et ils ont besoin de cartes, de guides et de garde-fou.

Le stigmate des « relations publiques ». — Tout effort des médias pour le contrôle de qualité ne serait qu'esbroufe. Les médias feindraient de se soucier de service public alors même que leur passion reste le profit maximal et (pour certains) la propagande. De fait, le conseil de presse local de Peoria (voir p. 95) a été mis en place et géré par le service des relations publiques du quotidien. On peut s'étonner que cette recette commerciale réussie n'ait pas été imitée. Et

---

1. Il est intéressant qu'après avoir décrété l'état d'urgence en 1975-1977, Indira Gandhi a commencé par supprimer le Conseil de presse.
2. Le Conseil de presse britannique a été lentement miné par une presse populaire particulièrement ignoble.

que les autres M*A*R*S soient si peu nombreux, alors même que les usagers leur font en général bon accueil.

L'hostilité partisane. — D'après certains critiques, la déontologie n'est qu'un déguisement dont s'affublent les activistes antimédias, gauchistes pour la plupart. Bien sûr, dans une société conservatrice, les vitupérateurs de l'ordre établi sont plutôt des progressistes – mais, même aux États-Unis, certains des plus vifs critiques des médias se situent à droite, tel AIM[1]. Cela dit, quand un M*A*R*S inclut des usagers, l'expérience montre qu'ils ne sont jamais systématiquement antimédias.

L'ignorance. — Cet obstacle négatif pourrait être aisément gommé. Tout le monde a entendu parler de déontologie, mais, au sein des médias comme à l'extérieur, la plupart des gens n'ont simplement jamais entendu parler des divers systèmes de contrôle de qualité qui ont été inventés, essayés, et dont on a prouvé l'innocuité et l'efficacité. Ce sont les médias qui sont coupables de cette ignorance : ils ne se sont pas soucié de découvrir, et n'ont pas voulu faire connaître, les M*A*R*S. Jusque tout récemment, ils refusaient pour la plupart qu'on débatte même de déontologie.

2. Véritables obstacles.

La dépendance des journalistes. — A moins d'être une vedette précieuse pour son employeur, un professionnel doit obéir aux ordres pour obtenir publication, hausse de salaire ou promotion. Dans le Tiers Monde et dans les pays riches en temps de crise, les journalistes ne peuvent se permettre de mettre leur emploi en danger. Sauf à être bien protégés par la loi, à s'organiser ou à avoir le soutien du public, ils ne peuvent, sous prétexte de déontologie, s'opposer à leurs patrons.

---

1. Accuracy in Media, groupe qui depuis plus de vingt ans dénonce le progressisme des médias dans des publications, des émissions et des publicités.

Le conservatisme. — Le SNJ, syndicat majoritaire en France, constatait dans son Livre blanc de 1993, «les vieux réflexes corporatifs et conservateurs d'une profession proclamant son droit universel à la critique mais prétendant échapper à toute mise en question, au nom d'une sorte de sacerdoce autoproclamé». Pour amener les gens de médias à se réformer, eux qui comme tous les humains n'apprécient pas le changement, il faut exercer une forte pression, parfois même user de menaces. Très souvent, c'est la crainte que l'État n'intervienne par des lois qui décident les patrons de médias et les professionnels à mettre en place une autorégulation.

L'esprit de corps. — La corporation se défend contre toute attaque extérieure, ce qui ne surprend pas. Mais elle semble être la seule à n'avoir mis en place aucun moyen d'autorégulation. Tous les journalistes seraient-ils parfaits?

Le directeur général d'un grand magazine disait en 1993 à propos de l'affaire Villemin: «La presse n'a pas à rougir de ce qu'elle a fait. Les journalistes n'ont fait que leur métier. Et nous n'avons surtout pas à nous juger nous-mêmes.» Les loups ne se mangent pas entre eux. Il est encore rare que les médias se critiquent les uns les autres[1], de même que les journalistes. Dans cette profession, comme dans d'autres, on pousse parfois la solidarité jusqu'à la complicité. On protège les fautifs par le silence. On ne les dénonce pas à la direction et ils passent rarement devant les conseils de discipline des organisations professionnelles. On a pu comparer l'hostilité traditionnelle aux M*A*R*S à une réaction collective de bureaucrates, typiques des grandes entreprises. Ils ne supportent pas l'intrusion du public dans leur microcosme.

La soif de pouvoir. — Chacun de son côté, le propriétaire et le professionnel savent, ou croient, qu'ils possèdent un pouvoir. Eux qui se délectent à parler de «média-

---

1. *Time Magazine* et *Le Canard enchaîné* ont toujours été des exceptions.

cratie», ils pensent pouvoir influencer, ne fût-ce qu'en occultant l'information. Et ils ne tiennent pas à partager ce privilège.

L'arrogance. — Qu'ils soient ou non compétents et courageux, les professionnels pensent l'être[1]. Certains, qui ont acquis une notoriété, refusent de reconnaître qu'ils font des erreurs, notamment quand elles sont signalées par un usager qui, à leurs yeux, ne sait rien, ne comprend rien et prêche pour une cause. En 1986, la Fédération internationale des journalistes a légèrement amendé sa Déclaration de Bordeaux (1954), mais pas la conclusion : «Le journaliste n'acceptera, en matière professionnelle, que la juridiction de ses pairs, à l'exclusion de toute intrusion gouvernementale *ou autre.*» Les journalistes jugent toute intervention comme une violation du sanctuaire où, grands prêtres de l'information, ils se consacrent à leur vocation. En fait, ils admettent à peine mieux que des reproches leur soient faits par des pairs : quelle autorité, quelle grâce supérieure, leur donne le droit de s'ériger en juges ? Ce sont eux, le plus souvent, qui s'opposent à l'installation d'un médiateur dans leur salle de rédaction.

Les conseils de presse parfois n'obtiennent pas la publication de leurs décisions. Le très sérieux quotidien, *Le Devoir* a même quitté le conseil de presse du Québec après qu'il a émis une sentence contre lui. Une attitude, hélas, normale apparaît dans l'étonnante déclaration faite par un des rédacteurs en chef d'un quotidien parisien de qualité : «Je ne reconnais à personne à l'extérieur du [journal], le droit de me dire ce que j'ai le droit de faire ou de ne pas faire.» On penserait pourtant que l'humilité est de rigueur devant la complexité du réel, vu que les journalistes sont rarement de grands spécialistes des matières dont ils traitent.

Hyper-susceptibilité. — Le Président Truman disait que «si l'on n'aime pas la chaleur, faut pas rester dans la

1. Un reproche de journalistes étrangers en poste à Paris : leurs collègues français ne prennent même pas conscience de leurs fautes.

cuisine». Et pourtant les gens de médias, qui ont choisi de se trouver sous les projecteurs de l'actualité, et dont certains ne cessent d'éreinter les notables, ont beaucoup de mal eux-mêmes à supporter la critique. Certains apparemment souffrent d'un ego fragile, du fait peut-être qu'il a été enflé à l'excès, à force de fréquenter des éminences. Comme le dénigrement de soi et de la profession est assez courant, en privé[1], on peut se demander si parfois l'ombrageuse vanité des journalistes ne masque pas un complexe d'infériorité. Leur peur du ridicule expliquerait le suivisme, le négativisme, le cynisme qui sévissent dans la profession.

Le prix. — Les deux derniers obstacles à la création de M*A*R*S sont très concrets : au contraire des précédents, ils ne peuvent être surmontés simplement par la formation, la négociation ou l'expérience. D'abord, la plupart (mais pas tous) sont chers, tant à faire fonctionner qu'à faire connaître.

Un ombudsman, par exemple, a besoin d'être un journaliste d'expérience, très respecté, donc une personne très bien payée. Pour un conseil de presse, il est crucial d'obtenir assez d'argent pour fonctionner bien, c'est-à-dire vite[2]. Assez d'argent aussi pour assumer toutes ses fonctions, pas simplement celle d'arbitre – et pour faire savoir qu'il les exerce.

On ne peut assurer un contrôle de qualité sans financement par les patrons de médias, qui sont fort réticents. Si les M*A*R*S ne menacent nullement les revenus de ceux-ci (bien au contraire), ils menacent indiscutablement leur pouvoir : ils donnent au public une voix au chapitre et ils tendent à renforcer l'autonomie des professionnels.

Les M*A*R*S représentent un excellent investissement. Toutes les grandes firmes commerciales dépensent des

---

1. *Dix petits tableaux de mœurs journalistiques,* de M.-O. Delacour et Y. Wattenberg, Paris, Megrelis, 1983, est une publication a-typique.
2. Feu le conseil de presse britannique mettait huit à douze mois pour régler une plainte.

fortunes pour améliorer l'image que le public, le gouvernement ou les tribunaux ont d'elles. Et depuis quelques années, elles ont découvert les séductions de la déontologie. Pourtant, bien des médias lui préfèrent l'achat de matériels ou une augmentation des dividendes.

Et puis certains médias sont impécunieux. La «responsabilité sociale» est alors très ardue. Bien des journaux, par exemple, n'ont pas les moyens d'imposer à leurs journalistes de refuser un voyage offert par quelque entreprise. Un célèbre directeur de quotidien recommandait d'accepter et de «cracher dans la soupe» au retour. C'est une solution, certes, mais inélégante et facteur d'équivoque.

Le temps. — Le pire des obstacles prend deux formes. D'une part, le contrôle de qualité consomme du temps, denrée qui manque toujours dans le milieu des médias. Et, par ailleurs, il agit à long terme : le meilleur système est l'éducation, qui porte ses fruits au bout de longues années. En outre, la plupart des M*A*R*S exigent que les professionnels et le public s'y habituent, ce qui prend fort longtemps.

Tare fondamentale. — Aucun des M*A*R*S n'est parfait. Entre autres, le conseil de presse est trop compliqué, le code trop flasque, le médiateur trop cher, l'éducation trop lente, etc. Mais ces défauts particuliers deviennent presque insignifiants comparés à une tare profonde de la déontologie : elle risque de détourner l'attention de ceux qui déterminent véritablement le comportement des médias. Naturellement, les décisions majeures y sont prises au sommet – et non à la base. Le principal critère alors utilisé est économique – et non moral. Les responsabilités importantes n'appartiennent pas aux journalistes.

Il est, certes, immoral pour un reporter de mettre un article au panier en échange d'un pot-de-vin. Mais que dire d'une station de radio qui préfère accroître ses profits plutôt que d'engager le reporter supplémentaire dont elle a besoin pour bien couvrir l'actualité locale ? Il est, certes, contraire à la déontologie que les journalistes acceptent des cadeaux ou faveurs. Mais que dire de médias qui séduisent des annonceurs en promettant d'accompagner leur publicité par des articles écrits pour la mettre en valeur ?

Au début des années 80, Janet Cooke, du *Washington Post* a obtenu le fameux prix Pulitzer par une enquête sur un personnage qu'elle avait inventé, Jimmy, héroïnomane de 8 ans. C'était contraire à la déontologie, mais sans doute voulait-elle sa signature en première page, une promotion, un prix. Elle savait ce qui allait plaire : un fait divers extraordinaire. Et ce qui ne plairait pas : un rapport de plus sur la misère et la drogue dans les ghettos. Elle a menti – mais avant de la juger, il faut songer à ces centaines de gros médias étatsuniens qui, pendant des années, ont occulté la famine et les épidémies en Afrique parce qu'un correspondant coûte cher – et surtout parce que leur but est de plaire à leurs usagers, qui n'éprouvent aucun intérêt pour le Tiers Monde.

Il n'est pas bien de violer l'intimité d'une famille frappée par le malheur, de publier le nom d'une victime de viol, ou de déformer le sens d'un discours par des citations inexactes : autant de questions dont on débat dans les séminaires. Les fautes de ce genre, que commettent des journalistes, sont très visibles pour l'usager. Indéniablement, elles constituent par accumulation un volume important. Mais, en tant que mauvais service du public, peut-on décemment comparer ces violations de la déontologie aux méfaits des firmes médiatiques ? Quand, par exemple, elles empêchent le développement de nouvelles technologies pendant des décennies pour protéger leur oligopole sur les anciens médias, comme ce fut le cas aux États-Unis pour la FM, l'UHF et la télévision par câble. Ou quand elles omettent les informations qui pourraient irriter leurs annonceurs ou d'autres milieux d'affaires.

Une firme ne saurait être morale ou immorale, faute de posséder une conscience. En revanche, ce qu'elle peut faire, c'est rendre possible à ses employés de respecter la déontologie. Il vaut mieux qu'un journaliste vérifie ses informations : sa station lui fournit-elle l'accès à des banques de données ? Il vaut mieux qu'un journaliste ne reçoive pas une place gratuite pour assister à une pièce de théâtre dont il doit faire le compte rendu, mais son journal va-t-il payer son billet ?

Entre le comportement antisocial des journalistes et celui des firmes, la différence d'échelle est telle que parfois le débat sur la déontologie peut sembler futile. Pire, il présente de sérieux dangers. Ne s'agirait-il pas d'une stratégie consistant d'abord à donner aux journalistes l'illusion d'être de vrais professionnels – tandis que, par ailleurs, on les empêche de l'être vraiment en les privant d'indépendance et de moyens – et consistant ensuite à détourner l'insatisfaction du public vers eux, devenus boucs émissaires ?

CONCLUSION

Les médias de la planète se sont beaucoup améliorés au cours des cinquante dernières années. D'abord grâce aux nouveaux médias : entre autres effets, les « technologies de la liberté »[1] rendent le contrôle de la communication presque impossible pour les dictateurs de tout poil. Mais la mainmise de vastes entreprises sur l'univers des médias s'est renforcée. Il est nécessaire que les professionnels et le public se mobilisent, s'organisent et se donnent les moyens d'agir. Déjà leur action depuis un demi-siècle est en partie responsable de l'amélioration générale. Ainsi, la pression populaire a décidé le gouvernement français à démonopoliser enfin la radiotélévision au début des années 80.

Un nouvel environnement. — C'est d'ordinaire dans des moments de crise que les médias commencent à se soucier de déontologie[2]. Et alors ils ont, hélas, tendance à la concevoir seulement comme un outil de relations publiques, ce qui comporte de grands dangers pour leur prospérité et leur avenir. Aujourd'hui, heureusement, des forces profondes sont à l'œuvre. Un premier facteur : la lente montée du niveau d'éducation et d'activisme du public. Les gens ont compris que de bons services médiatiques étaient cruciaux ; que les médias traditionnels n'étaient pas satisfaisants ; que les médias devaient *bien* remplir *toutes* leurs missions. Et, peu à peu, très lentement, la conviction les gagne qu'eux-mêmes doivent assumer des charges dans la réforme. Un deuxième facteur semble être la meilleure conscience qu'ont les jeunes professionnels de leur vocation, et le plus fort militantisme de certains en faveur de la liberté et de la responsabilité des médias.

---

1. *Technologies of Freedom,* titre d'un livre d'Ithiel de Sola Pool, Cambridge, Harvard University Press, 1983.
2. Ainsi, en 1989, craignant une loi instituant le droit de réponse, les quotidiens nationaux de qualité en Grande-Bretagne ont rédigé une charte et se sont donné des médiateurs.

Le « contrôle de qualité » devient à la fois plus utile et plus réalisable. Plus réalisable parce que de plus en plus de nations ont instauré la liberté de presse[1] et que presque partout a disparu le monopole d'État sur la radiotélévision. Par ailleurs, les M*A*R*S sont devenus plus utiles pour deux raisons. D'abord à cause de la menace croissante des forces mercantiles sur les médias. On a vu dans le passé comment peuvent être bloquées des informations et des idées nouvelles si elles menacent les intérêts de grosses firmes. Et, deuxième raison : les nouvelles technologies montrent un revers inquiétant. Elles facilitent, par exemple, le viol de la vie privée, les reportages en direct sans vérification, sans filtrage ou réflexion (à la télévision), la dissémination de propagande nazie et de pornographie morbide (sur Internet).

La qualité paie. — La déontologie, bien sûr, s'intègre dans le cadre plus vaste du progrès général de la qualité : amélioration du recueil de l'information, des compétences du personnel, de la qualité de l'image et de la couleur, de la mise en page, de l'impression et de la distribution, etc. Une évolution qui, au bout du compte, est à l'avantage de tous, propriétaires, annonceurs, professionnels, techniciens – et usagers. La qualité peut tout à la fois servir le bien de l'humanité et être profitable.

Aux États-Unis, sous les flèches de la critique, certains propriétaires souhaitent se mettre mieux au service du public. C'est que beaucoup en sentent la nécessité financière. La télévision commerciale perd les spectateurs les plus cultivés et les plus fortunés, au grand chagrin des annonceurs. La presse écrite subit la concurrence d'autres médias, et le journal voit fondre son public même lorsqu'aucun rival ne le lui dispute. De surcroît, certains propriétaires prennent conscience du risque de perdre leur profitable liberté par intervention d'un exécutif ou d'un législatif tout disposé à entraver la presse sous la couleur fort démocratique de répondre aux désirs de leurs électeurs.

---

1. Le premier véritable ombudsman de presse en Europe fut nommé par *El Pais*, le grand quotidien espagnol né après la fin de la dictature franquiste.

Un autre problème est rarement évoqué, la prolétarisation du journaliste de base (salaires en baisse aux États-Unis et moral en baisse partout). Elle est liée à l'utilisation des sans-grades comme des pions par des médias aux buts très lucratifs. La déontologie peut apporter une assistance. Elle accroît la solidarité des journalistes, leur protection, leur prestige, leur influence – donc leur moral, donc leur productivité. Quant au public, dans l'immédiat la déontologie augmente sa satisfaction et à terme sa confiance dans les médias.

Il est vrai que certains médias de grande immoralité semblent prospérer, comme le *Sun* de Londres, mais en réalité la presse populaire britannique a perdu des millions d'acheteurs depuis trente ans[1]. Au contraire, une station de télévision étatsunienne, à la suite du matraquage de l'affaire O. J. Simpson pendant un an, a décidé de ne plus parler de crime sauf dans l'intérêt public – et elle a vu son audience augmenter brusquement. Des films sans violence, ni vulgarité, ni obscénité se classent très bien au *box office* – ce que Hollywood semble avoir du mal à percevoir : *La Liste de Schindler*, qui a gagné beaucoup d'argent, n'aurait pas été tourné si Spielberg n'en avait endossé les risques financiers. Dans un cadre tout autre, dans la Lettonie post-soviétique des années 90, un comportement déontologique est devenu une manière de se démarquer dans la bagarre des médias corrompus et de survivre.

Il n'est pas inutile de rappeler que déontologie et M*A*R*S ont plusieurs objectifs : améliorer les services des médias aux usagers ; redorer le blason des médias aux yeux du public ; protéger diversement la liberté de parole et de presse ; obtenir, pour la profession, une autonomie qui lui permette de jouer son rôle dans l'expansion de la démocratie, donc dans l'amélioration du sort de l'humanité.

Autonomie des professionnels. — Le but n° 1 des professionnels ne doit pas être d'augmenter les revenus de leur entreprise, mais de servir les diverses minorités qui composent le public. Seulement, étant des employés, ils ne

---

1. 2,5 millions pour les quotidiens ; 8 millions pour les dominicaux.

peuvent pas s'opposer ouvertement à leurs employeurs. Comment échapper à cette dépendance? Le meilleur moyen est de faire leur métier en artisans de haute volée : exceller dans l'observation des événements et des tendances, dans le questionnement des décideurs, dans l'orchestration des données, dans l'explication des faits, dans la rédaction des articles. Ils procurent ainsi à leurs employeurs des revenus abondants, qui peuvent les satisfaire et détourner leur attention.

Par ailleurs, en se comportant toujours selon les principes et règles de la profession, selon la déontologie, en fournissant des services journalistiques irréprochables, les gens de presse gagnent le soutien du public pour les médias en tant qu'industrie, pour le quatrième pouvoir en tant qu'institution, et pour eux-mêmes en tant qu'experts. Si jamais des pressions indues étaient exercées sur eux, les journalistes pourraient alors résister en se retranchant dans leur professionnalisme. On peut interpréter leur intérêt pour la déontologie comme un signe que les professionnels s'emparent peu à peu des leviers de commande.

Liberté et qualité. — De nos jours, dans la plupart des pays occidentaux, une petite partie au moins des professionnels a compris que le «contrôle de qualité» était pour eux une excellente opération pour contrer la commercialisation frénétique des médias. Ils ont compris que des systèmes comme les M*A*R*S satisfaisaient les usagers en leur donnant voix au chapitre et un accès au grand public, que ces moyens en conséquence augmentaient l'influence et le prestige de la profession. Les journalistes se sont rendu compte que les M*A*R*S, loin de représenter une menace contre leur liberté, constituaient une arme excellente, l'arme absolue peut-être, pour *protéger* la liberté des médias contre tous ses ennemis.

Est-ce une coïncidence si la Grande-Bretagne est, en Europe occidentale, le pays qui, tout à la fois, possède la presse populaire la plus irresponsable et les restrictions les plus dures à la liberté de presse?

Déontologie pas suffisante. — L'amélioration évidente des médias peut paraître due surtout à l'électronique, à la levée du monopole étatique sur la radiotélévision ou à des devoirs imposés par l'État. Il est vrai que, du côté déontologie, l'évolution se fait avec une lenteur glaciaire. Dans une perspective historique, on perçoit cependant des changements : finis les journaux de chantage, finis les quotidiens de parti ou presque, fini l'asservissement de la radiotélévision au gouvernement, peu de campagnes infâmes, moins d'enveloppes, plus de journalistes formés à l'université, etc.

Surestimer la déontologie serait tout aussi dangereux que la sous-estimer. Dans le monde actuel, le bloc communiste ayant disparu, la principale menace sur la liberté et la qualité des médias réside dans une exploitation sauvage des canaux de communication par des compagnies géantes telles que Time-Warner ou News International. On ne peut espérer que la déontologie refrène leurs appétits. En tombant, le Mur de Berlin a détruit les stupéfiantes prétentions des avocats de médias soviétisés, mais les fanatiques du « marché » s'activent toujours. Même si l'on mettait en batterie tous les moyens du « contrôle de qualité », cela ne suffirait pas.

On aura toujours besoin de lois et de règlements. D'abord pour garantir des chances égales à tous les organes de médias. Ensuite pour freiner la tendance naturelle des sociétés commerciales à la concentration, à la maximisation du profit, à la négligence du service public. Enfin parce que le journaliste n'est pas responsable à lui seul de tout ce qui va bien ou mal dans les médias. Ne serait-il pas absurde de penser que les médias seraient guéris de leurs tares si seulement leurs salariés se comportaient selon la déontologie ? Pourtant, cette conviction est assez répandue en pays anglo-saxons – où l'on semble attendre le salut du marché et de la déontologie.

Au contraire, les Européens, tout en libérant brusquement leurs médias audiovisuels des entraves étatiques dans les années 80, ont très raisonnablement maintenu une réglementation stricte afin de protéger l'intérêt public[1] – tout en s'intéressant de plus en plus à la déonto-

---

1. Voir *L'Intérêt public, principe du droit de la communication,* dirigé par E. Derieux et P. Trudel, Paris, Victoires Éditions, 1996.

logie. C'est qu'en fait on a besoin des trois : lois, marché et contrôle de qualité. La proportion de chaque ingrédient dans le mélange est difficile à fixer : elle varie selon la culture locale et les accidents historiques.

Ce qui reste à faire

Les Américains possèdent un excellent concept politique, celui de *moral leadership*. Il consiste à fixer à un pays, à un groupe humain ou à une institution, un noble but à atteindre, tout en sachant qu'on ne peut y parvenir dans l'immédiat. Il consiste à persuader les gens de la justesse de cette quête ; à les convaincre d'œuvrer dans la bonne direction, sans illusion mais avec foi. Prêcher pour la déontologie et les M*A*R*S relève du *moral leadership*.

Que l'on songe aux Protestants radicaux du milieu du XVIIe siècle anglais : dans leurs revendications figuraient le droit à l'éducation, à la santé, au travail. L'enseignement général gratuit et obligatoire, la Sécurité sociale ou les indemnités de chômage paraissaient alors une pure utopie – et sont devenus banals aujourd'hui.

Des réseaux de M*A*R*S. — Doit-on se satisfaire de belles paroles dans des ateliers, des séminaires, des congrès, des articles, des livres, des émissions ? Doit-on se contenter de rédiger des codes qui ne seront jamais appliqués ? Non. Se mettre de nos jours à débattre de la valeur des M*A*R*S serait absurde : ils ont tous été mis à l'épreuve et se sont montrés efficaces. Le but maintenant doit être d'attirer l'attention des professionnels et du public sur cette expérience accumulée et sur les grandes possibilités d'avenir. Comme beaucoup de M*A*R*S sont des acteurs relativement nouveaux sur la scène médiatique, personne n'y est accoutumé. Aussi faut-il que ces agents non étatiques et sans but lucratif soient introduits et développés peu à peu. Un réseau de M*A*R*S ne peut se mettre en place que lentement, et même très lentement au début.

Pourquoi un réseau ? C'est que si chacun des M*A*R*S existants est utile, aucun n'est suffisant. Aucun ne peut espérer avoir de gros effets directs. Ils se complètent.

Dans la mesure où ils se renforcent les uns les autres, on peut donc espérer un effet de boule de neige après un temps. Le grand problème est de lancer le mouvement. Associés, les M*A*R*S peuvent avoir une forte influence à long terme. L'idéal serait que, dans quelques décennies, ils existent tous partout, et qu'ils coopèrent, sans perdre chacun son autonomie, en un vaste et souple réseau.

Tel celui qui a existé pendant un temps à Minneapolis dans les années 70. Le Minnesota News Council avait des racines dans l'excellente école de journalisme de l'université ; les professeurs ont également aidé la *journalism review* locale, ont conseillé la presse de l'agglomération, ont mis en place un comité de liaison entre médias et barreau, sans compter les livres et articles critiques qu'ils publiaient et les cours qu'ils faisaient.

Promotion. — Si l'on admet que la déontologie doit être consensuelle et volontaire, il faut que tous les intéressés débattent entre eux de ses contenus et de son application. Des efforts de prosélytisme doivent être dirigés tant vers les dirigeants que vers les troupes. Comme avec l'intérêt pour la déontologie est également apparu le souci de trouver des moyens d'inciter au respect des règles, un peu partout dans le monde, on a réfléchi, écrit, fait des expériences : il est nécessaire donc qu'entre les régions du globe se fassent des échanges d'information. Voici quelques suggestions. Elles sont de caractère pratique : elles visent à faire connaître les M*A*R*S aux gens de médias, aux hommes politiques et au grand public.

Recherche et communication. — Une des premières étapes devrait être une recherche, à l'échelle mondiale, sur ce qui a été dit, et surtout sur ce qui a été fait, en matière de déontologie des médias et de M*A*R*S, une enquête sur le terrain, auprès des personnes qui travaillent ou ont travaillé au «contrôle de qualité». De cet inventaire, un livre serait tiré qui traiterait de l'histoire, de la nature variée, du rôle social des M*A*R*S ainsi que des problèmes qu'ils rencontrent. L'ouvrage serait publié en plusieurs langues, dont une édition au moins devrait être concise, attrayante et bon marché.

Il faut informer, encore et toujours. Des réunions

devraient être organisées dans diverses parties du monde pour stimuler l'intérêt des journalistes, pour attirer l'attention des médias, pour amener les décisionnaires en tout genre à promouvoir la création de M*A*R*S. Il y a eu quelques congrès au cours des dernières années, souvent à l'initiative des conseils de presse, au Portugal, en Malaisie, en Inde, en Suède, en Australie. L'International Press Institute (IPI), la World Association of Newspapers (FIEJ), la Fédération internationale des journalistes (FIJ), même l'Unesco[1] pourraient s'en occuper : certains l'ont fait autrefois. Mais aussi des institutions d'enseignement du journalisme ; aux États-Unis, des fondations et des groupes de presse soucieux de qualité ; sur le Vieux Continent, des organismes comme le Conseil de l'Europe.

Centres d'information. — Par ailleurs, on devrait créer, dans diverses régions du globe, des centres d'information et de communication consacrés à la déontologie des médias. Au sein d'universités, par exemple, de fondations, d'observatoires, d'instituts de recherche, concernés par les médias. Un centre au moins par continent, en plus d'un site sur le Web, avec forum et banque de données. Ce projet est précis, concret, économe, et peu susceptible d'engendrer des controverses stériles. Son but est simplement d'améliorer les services des médias *sans* intervention des pouvoirs publics.

Ces centres auraient plusieurs fonctions. D'abord, réunir des informations sur les crises de caractère déontologique subies par les médias dans un pays ou un autre ; sur les débats et les formations (cours, séminaires, ateliers, colloques) ayant trait à la morale professionnelle ; sur les codes de déontologie et les M*A*R*S[2]. Les centres auraient les moyens de répondre aux demandes d'information par courrier, fax ou par courrier électronique. Troisièmement,

---

1. Sa réputation reste néanmoins piètre au sein des médias depuis l'affaire du Nouvel ordre mondial de l'information (NOMIC).
2. Il existait déjà en 1997 une Association internationale des conseils de presse (initiative australienne), et une association nord-américaine des ombudsman de presse, ONO.

ils se procureraient et mettraient à la disposition du public une documentation sur la déontologie et les M*A*R*S : articles, rapports, thèses et mémoires, ouvrages anciens ou récents – sous des formes diverses (bulletin bibliographique, microfiches, CD-ROM).

Par ailleurs, ces centres encourageraient les échanges d'informations, d'expériences et d'idées. Ils stimuleraient la communication entre journalistes, réalisateurs de radiotélévision, universitaires, magistrats, hommes politiques, usagers sur le thème de la déontologie et des M*A*R*S – en aidant, en suscitant, en organisant des ateliers, tables rondes, séminaires, congrès ; en publiant une gazette mensuelle ; en s'associant à la publication, d'ouvrages relatifs à la déontologie et aux M*A*R*S.

L'argent devrait venir du plus grand nombre possible de sources pour assurer l'indépendance de l'entreprise : fondations, écoles, agences de régulation, associations nationales et internationales de patrons de médias ou de journalistes, chaînes de radio ou de télévision. La liste n'est pas exhaustive.

La déontologie n'est pas une mode, qui serait née aux États-Unis après la contestation des années 60 et en Europe après la guerre du Golfe – une éphémère contre-offensive déclenchée par une vague de méfiance publique – comme naguère un semblable intérêt avait répondu aux critiques des radicaux. Ce n'est ni un fantasme d'intellectuel[1], ni un stratagème de publicitaire. La déontologie est la seule méthode à la fois efficace et inoffensive pour améliorer le service des médias. Mais elle est lente. Elle opère à long terme : raison de plus pour la mettre en œuvre sans attendre. Comme toute entreprise nouvelle, cela requiert énergie, esprit d'innovation, dévouement, sens de l'organisation et volonté de consultation, plus quelques investissements.

---

1. Les avocats de la déontologie n'ont rien de ces doctes exégètes qui débattaient en Sorbonne de questions dont évêques, prêtres et fidèles ignoraient tout et se moquaient totalement.

BIBLIOGRAPHIE

GÉNÉRALITÉS SUR LES MÉDIAS

Bertrand Claude-Jean (dir.), *Médias, Introduction à la presse, la radio et la télévision*, Paris, Ellipses, 1995.
Derieux Emmanuel, *Droit de la communication,* Paris, LGDJ, 1991.
Mathien Michel, *Les journalistes et le système médiatique,* Paris, Hachette, 1992.

DÉONTOLOGIE[1]

En français

MédiasPouvoirs, « L'éthique du journalisme », dossier, n° 13, janvier-février-mars 1989.
Dossiers de l'audiovisuel (périodique de l'INA), « Télévision et déontologie », n° 36, mars-avril 1991.
Cayrol Roland, *Médias et démocratie : la dérive*, Paris, Presses de Sciences Po, 1997.
Cornu Daniel, *Éthique de l'information*, Paris, PUF, « Que sais-je ? », n° 3252, 1997.
Mamou Yves, *C'est la faute aux médias : la fabrication de l'information*, Paris, Payot, 1991.
Roucaute Yves, *Splendeurs et misères des journalistes*, Paris, Calmann-Lévy, 1991 (étude des manquements des journalistes français).
SNJ, *Livre blanc de la déontologie des journalistes ou de la pratique du métier au quotidien*, Paris, SNJ, 1993 (82 p.).

En anglais

Christians Clifford, Ferre John P. et Fackler P. Mark, *A Social Ethics of the News Media,* New York, Oxford University Press, 1992 (approche philosophique).
Christians Clifford G., Rotzoll Kim B. et Fackler Mark, *Media Ethics : Cases and Moral Reasoning,* New York, Longman, 3e éd. 1991 (76 cas répartis dans tous les secteurs).
Commission on the Freedom of the Press, *A Free and Responsible Press,* University of Chicago Press, 1947 (en note).
Cooper Thomas W. (dir.), *Communication Ethics and Global Communications*, New York, Longman, 1989.
Dennis Everette E. *et al.* (dir.), *Media Freedom and Accountability,* New York, Greenwood, 1989.
Elliott Deni (dir.), *Responsible Journalism,* Beverly Hills (CA), Sage, 1986 (9 essais par des universitaires).
Merrill John C., *Media Ethics*, New York, St Martin's Press, 1997.

---

1. On verra également les ouvrages cités dans les notes de bas de page.

TABLE DES MATIÈRES

TROISIÈME PARTIE

LA PRATIQUE

Imprimé en France
Imprimerie des Presses Universitaires de France
73, avenue Ronsard, 41100 Vendôme
Août 1997 — N° 43 880